ゆるゆるマイノリティライフ
いま、台湾で隠居してます

大原扁理

K&B PUBLISHERS

環島1-1

はじめに

はじめましての方も、知ってくださってるという方も、台湾からこんにちは。大原扁理と申します。

この本は、私が2016年の秋から約3年間、思いつき&ノープランで台湾に移住してから、かの地で隠居生活を作り上げるまでの体験、見聞きしたもの、考えたことをまとめたものです。


まず、隠居生活って何？　って感じですよね。少し自己紹介をさせてください。

私は25歳から東京郊外で隠居生活を始めました。

隠居生活といっても、徳川のご老公とか、落語に出てくるような感じではなくて、週に2日だけは生活費のために働くけれども(介護の仕事をしていました)、あとの5日はなるべく社会と距離を置き、年収100万円程度稼いだら、あとは好きなようにさせてもらう、という感じ。少労働、低消費、そして省エネ型の最高な生活。

それを6年ほど続けました。詳しくは『20代で隠居　週休5日の快適生活』などの拙書に書いてあるので、興味のある方は読んでみてください。

そして今回は、それを台湾でやってみた、という記録です。

そんな簡単に海外移住とかできるんかい、とお思いでしょうが、結論から言いますと、できちゃってるんですよ、これが。相変わらず、東京に住んでいたときから親の遺産や株はなし！　宝くじにも当たっていない！　ＩＴにも疎いまま、です。

いつか海外に移住したい、という方にも、ふつうの観光に飽きてしまい、違う楽しみ方を知りたい、という方にも、もちろんただ読んで行った気になりたい、という方にも。これがベストとは言わないけれどひとつの例として、なにか役に立つことがあれば幸いです。あ、ふつうの観光旅行には、あんまり役に立たないかもしれませんが…。

いま、台湾で隠居してます　～ゆるゆるマイノリティライフ　目次

第2章 台湾で日常生活を作り上げる 54

第3章 台湾の隠居生活に根が生える 124

いま、台湾で隠居してます

さて、台湾で隠居生活ってどんな感じ？　という疑問にお答えするべく、**まずは私の平均的な一日を軽く**ご紹介します。

朝、起きる時間はてきとうです。

だいたい8時～昼までには起きます。東京では南向きのアパートに住んでいたので、朝がくると自然に目が覚めたものですが、台湾の部屋は西向きで、向かいにもアパートがあるので、朝がきたことに気づきません…。でも隠居だからべつに大丈夫です。

午前中は部屋で、出かけてゆくアパートの隣人たちの足音を聞きながら、何の用事もない私は一人で朝ごはんを食べたり、コーヒーを淹れます。その日やりたいことのリストを作ったり、掃除や洗濯、メールチェックなどをしますが、仕事があればそちらを優先。

ズボラに作ったサラダなどで昼食を済ませたあとは、暑くなければ散歩がてら日光浴したり、市場やスーパーへ買い物に行ったり、図書館に行ったり。家にいる気分のときは家にいるし、仕事が残っていれば片付けたり。

夜は近所で精進料理の麺や弁当を買って食べるか、昼食に作ったサラダをパンにはさんでベジタリアンサンドイッチに。そのあとは本を読んだり映画を観たり散歩したり。たまに近所の大学のグラウンドに行ってジョギングもします。鉄棒で懸垂なんかもしますが、気分がスッキリするとやめてしまうので、筋肉がついたためしはありません。

そうしてシャワーを浴びて就寝…。と、このように、とりたてて何もしない、どこにも行かない、そして誰にも会わないサイコーな毎日を過ごしています。**地味！**

おや？　台湾に住んでるのに夜市にも行かなけりゃ、台湾人にも会わないの？　そんな生活するならべつに台湾じゃなくてもいいじゃん。と思ったそこのあなた。その通りです！

過去に書いたものを読んでくださった方には既視感ありすぎかと思いますが、私は台湾にいても、いや告白すると過去15年くらい、どこに住んでも生活パターンが変わらないんです。

台湾に住んでるけど、わざわざ夜市のためだけに出かけるのもめんどくさいんじゃや。そのへんの屋台で食べればハッピーなんじゃや。

このような感じで、とくにこの世界の毒にも薬にもならずに毎日が過ぎていくわけですが、地味すぎてとくにうらやましくはならないですよね、わかります。私の現在の生活水準は、たぶん、日本の平均を大きく下回っている。

これは、ジャパンマネーでセレブとして暮らせる、なんていう話が、過去の遺物になった時代の海外移住の話です。令和の海外移住には、そんな日本経済が華やかなりしころの夢はさっさと捨ててしまったほうが、よいのかもしれません。

海外に移住してまで叶えたい夢なんてないですもん。そんな意識低い系海外移住があったって、いいじゃありませんか。

さて、まずはどうして台湾で隠居することになったのか、そのきっかけからお話していきましょう。

第1章

なぜ、台湾で隠居することになったのか

20代で世をはかなみ、東京で隠居を決め込んで6年。最近食えなくなったなー、飲めなくなったなー、とか思っていたら、どうりで私は三十路にさしかかっていました。

それで、東京で隠居ができることはもうわかったし、東京以外でも隠居できるのか試してみようかな～と思っていたのです。

そんなわけで、東京のアパートを引き払い、台湾へ、ちょっくら行ってみたのでした。

えーっ、そんな簡単に!?　とお思いでしょうが、ハイ、そんなに簡単に、です。むしろ、他の人がするように、意気込みたっぷりで用意周到に準備したり、大きな夢を描いていったり、そういうことをしなかったから私の海外隠居生活は実現しているとも、言えるのです。

元来、旅行が好きではない

私は高校を卒業してから、一人でいるのが楽しすぎて、気がついたら私生活で他人に会うことがまったくなくなっていました。数日間、家族を含めて平気で誰とも話さずに過ごすなんてザラだったんです。

やがて、あまりにも人と話さないもんだから、言葉がうまく出てこなくなってしまい、荒療治として単身世界一周旅行に出かけました。無理やり自分を人と話さなければいけない環境に置くためです。

で、それはそれで楽しかったし、ちゃんと言葉が出てくるようにもなった。だから結果的には良かったんだけれど、いま行けって言われたら、秒で断ります。

だってそうでしょう、家にいるだけで楽しいのに、なんでわざわざ外に出なくちゃいけないんですか。旅に出たりなんかした日にゃあ、お金と時間と体力がかかるじゃないですか。そのお金を稼ぐために、さらに限りある時間と体力を費やさなければいけない。無理。もったいない。

あらゆる旅先で、私はつくづく観光に興味がないんだなぁと思いました。というか、せっかく旅行に来たのだから、思い出に残るようなことをしなければいけない、という風潮が苦手なのかもしれません。せっかく世界中の人が行きたがる街（NYとかロンドンとか）に来たのに、2日もすると家に帰ってゴソゴソしたくなってしまう。

だいたい観光地に行くと、何かをしなくちゃいけない、お金を落とさなくちゃいけない、経済活動に貢献しなければいけないというプレッシャーを、観光案内所でもらった無料パンフレットのすみずみから感じるじゃないですか！（当たり前だ）

旅人って不思議なポジションですよね。いまはそこにいるけれど、明日はいないかもしれない。コミットしなくていいし、責任もないから、その街のいいところ、刺激的なところだけを見て、食べて遊んで、ああ楽しかったと去っていくこともできる。出したゴミは現地に置いたまま。でも旅人だから許される。

けれども私たち観光客を楽しませてくれる、観光産業で働いている人たちや、エンターテインメントに従事している人たちは、おみやげ屋さんやレストランが閉店時間になって、華やかなパフォーマンスが幕を閉じて、私たちを楽しませることが終わったら、起居する家へと帰ってゆく。そこには生活があって、観光は、やっとその上に成り立っている。

旅人である限り、なんかちょっと、その街にはカウントされてない感じがしてしまう。街を下支えしている、そうした生活のなかにいるほうが、私はそこにいるという感じがするんです。

みんなが非日常の夢を見る旅先で、私はずっと日常を夢見ていました。

外食じゃなくて、家で料理を、お店で食材を買ってくるところからやりたい。安宿のチェックアウトの日時を気にしたり、そこから逆算して朝起きる時間を決めたくない。何も予定を立てずにただ家にいて、気が向いたときに本を読んだり、コーヒーを淹れたり、掃除や洗濯をしたい。

つまり旅先で、とくになんにもしたくない！

そんなわけで私は、いくつかの街で部屋を借り、仕事を探し、ふつうの生活を始めたのでした。

いつでも、どこにいても、私が恋焦がれるのは非日常ではなくて、何の変哲もない、輝かしくない、ありふれた日常なのです。

海外移住は選ばれし人だけのもの？

でも、誰もが一度は憧れたことがあると思うんです、海外生活ってやつに。

いろんな世界各国の滞在記を読んでみると、面白いんだけれども、そもそも海外移住ってどうやったらできるのかという問題があって、そうすると結局、駐在員か、学者さんか、特殊技能があるか、現地人と結婚したパターンがほとんど。

なんだよー、じゃあ一部の選ばれし人間しかできないってことじゃんよー、と、読んだあとに落ち込むのもセットになってるんですよね。だから憧れるのかもしれないけど、これが納得いかない。

右の条件にはことごとく当てはまらない平凡な小市民ですけど、できる方法は本当にないのか？

そしてもうひとつの理由、というか違和感は、日本人のなかに根強くある「憧れの海外移住」みたいなイメージと、現状に温度差を感じていた、ということです。

先人たちの移住系エッセイを読んでみると、駐在員系の方たちは海外の官僚が住むような現地人もうらやむ高級住宅街のプールつきの豪邸に住み、家事はすべてお手伝いさんがやってくれ、健康で文化的な最低限度の生活ラインなんてはるか下方にあるので視界にすら入ってこないような華やかな毎日。

いや、べつにそこまで求めてない。というか、それはそれでいろいろと大変なこともあるだろうし。

もしくは、異文化に嫁いでみたら、こんな信じられない爆笑日常生活が毎日繰り広げられていました！

うーん、そんなカロリー高めの非日常みたいな日常だと、困っちゃうな～。

週末にぷらっと海の向こうへ行けちゃう時代にですよ、海外移住って、そんなにごく一部の選ばれた人だけしか体験できないようなことだろうか。行ってみたら案外、何とかなるんじゃないの？　非日常を求めない、日常の延長みたいな感じで、もっとごくふつうの生活を海外で送ることも、できるんじゃないの？

誰も教えてくれないなら自分で試してやる！

というわけで、海外移住にあたって私が大切にしたのは、私自身が「一部の選ばれた人」側にならないこと。私はいつも、なるべくフツーの人が、なるべくフツーの条件で隠居生活ができるのかを知りたくて、ずっと試してきたつもりでした。

ですから海外移住する際も、初心を忘れないため、自分の条件を「フツーのどこにでもいる市井の人」と同じにするべく、人より恵まれてると思しき条件を禁じて、トライしてみることにしました。

私の場合、東京で暮らしていたとき、仕事は基本的に介護を週2日だけ。これはフツー。その間、隠居生活のことを本に書く機会がありました。それで印税というものが入ってきたのです。これはフツーじゃない、と判断。

ですから海外で隠居生活をするときも、本の印税は使わない。これを勝手にルールにしました。本以外の仕事、つまりより多くの人にとって、なるべく再現性が高い方法で、隠居生活できるかやってみること。

とはいえ、本を書くという仕事が、ひと昔前と比べてどれくらい実際は特別なものなのかは議論の余地がありますが、イメージとしてはいまも特殊な感じがするので、これは排除しておいたほうが、自分が面白がれる。

だって、印税で隠居生活ができたってつまらんじゃないですか。ハイハイよかったね、って感じですよね。自分が読者だったら鼻白んじゃって、そんなの面白いと思えない。だから、基本的に東京で隠居していたときと同じ条件のまま、海外でも通じるものかどうか、それを確かめること！

いや、実際は印税でもなんでも、親類縁者のコネでも、海外で生活するためなら使える手段は何でも使ったほうがいいんですよ。ただ、私はそれに興味がないというだけの話なので。制限をかけたほうが、ゲームみたいで楽しい、っていうこともありますからね。

そんなわけで、さっそく海外での隠居生活に向けて、準備を始めました。

1 台湾に移住する前にやっておきたいこと

移住は3年前から始まっている

まずはじめに、海外へ渡る前に、当時意識していたか、していなかったかにかかわらず、私が実際にやっといてよかったと思ったことをまとめます。

というのも、準備を始めました、と書いたわりに、実際は出発の3か月前くらいまで、海外に移住するなんて思ってませんでした。

現在は、結果として台湾で隠居生活をすることができていますが、改めて振り返ってみると、東京に住んでいたときから無意識にでもやっておいたことがそれをいくばくかでも容易《たやす》くしてくれた、という部分がたくさんある。

ですからここに挙げるもののなかには、ただの偶然で、たまたまやってたことも含まれています。一朝一夕には築けないものもあるので、移住しようと思ったら(思わなくても)、3年くらいの長期展望を設定しつつ、機が熟したらいつでも発てるようにしておくといいかもしれません。

とりあえず、海外移住の夢をあきらめる

いや、そういう意味じゃないので、まだ本を閉じないでください！

どういう意味かといいますと、日本に住んでいてさえ、「求められる平均的な生活水準」が、自分の必要とするレベルをはるかに超えていて、そこに最適化された社会を生きるのに疲れていた隠居の私。

東京に暮らしていたころの生活水準なんて、同世代の平均と比べたらやっと下の上、ありよりのなし、くらいのもんじゃないでしょうか。でもフツーに満足なんだもん、しょーがない。

海外に住んだからって、生活水準を上げたくないなー。というか、東京の生活水準が高すぎるのだから、もっと私にちょうどいい場所が、海外にはあるだろう。そこに物価の差が加われば、もっと簡単に隠居生活にたどり着けるはず。

目的は、海外で「隠居生活」をすること。海外移住に見果てぬ夢を見ないこと。私は海外で、現実を、生活を、日常をこそ、やるのですから。

移住する予定のあるなしにかかわらず、ネットやパソコンひとつでできるような仕事依頼があったら、とりあえず何でもやっておくとよいと思います。家でもできるなら出勤しなくてもいい。ということは日本にいなくてもできますから、海外に住みたい人にはピッタリ、ということになります。のちのち、現地で何かしらメインの仕事をするとしても、副業とかバイトくらいの感覚で、気軽に始めておくとよいですね。

泊めてくれる友人を作っておく

そして日本に一時帰国したときの居場所問題も、行く前に解決しておきたい。

これは、お金がある人なら日本のアパートを引き払わないで家賃を払い続けるか、あるいはホテルでも取ればいいんですけど、低所得である隠居の私にはそんな贅沢は許されません。

ここで、移住前に作っておいた、貴重な友人関係がものを言うわけです。

私は東京に住んでいた6年間で、数は少ないながらも隠居に理解のある良い友人に恵まれました。なかには自宅の部屋が空いているという人もいます。そこで一時帰国の際は、ありがたく泊まらせてもらうことにしています。私は地元に友人がいないので、台湾に移住する前に上京して一人暮らしをし、人間関係を作ってきてよかったと思ったことでした。

実家があるならそれでもよいのですが、いつまでもあると思うな親と金。それに、自分で選び、作り上げた関係のほうが、緊張感があって私は好きです。

そして、狭いながらも台湾に自分の部屋があるということは、彼らが台湾に来たときにはウチに泊まってもらえばいい。もし狭くてイヤと言われたら、観光案内を買って出ればいい。台湾に住んでいる私ならではのお返しができるんですよね。ザ・ギブ・アンド・テイク！

いつでもどこでも生きられるようにしておく

途中、何がどうなって帰国することになるか、誰にもわかりません。これからの時代は逆に、もしかしたら日本に帰ってこられなくなることだって、あるかもしれない。

いつ帰ってきても、あるいは帰れなくなっても、生活はできるように、全世界でつぶしがきく資格を持ったり、労働経験をしておくといいように思います。

私の場合は、東京に住んでいたとき、慢性的に人手不足の介護業界で働いていたのと、初任者研修の資格（ヘルパー2級に相当）を持っているので、おそらく突然帰国することになっても仕事にはありつけるだろう、と踏んでいます。そして、いざとなったら海外でも。老人や障がい者のいない国、というのはありませんからね。

ところで華僑の有名な知恵で、「3つの刃物を使えれば、どこに住んでも食っていける」というのがあります。

これは料理人の包丁、理髪師のカミソリ、そしてもうひとつが仕立て屋のハサミを意味します。

これらの職業は、どこの国でも人間が生きていくうえで必要なニーズを満たすことから、祖国を離れて海外に移住することの多かった華僑の間で広まった教えなのだそうです。

何がやりたいか、ではなく、どうしたらどこに行っても生きていけるか、という観点が華僑らしいですよね。

そうはいっても、刃物だって持ち運んだり、手入れも必要です。

もしも私が、こうして海外で隠居することになると知っていたなら、マッサージや整体の勉強をしたと思います。

あれこそ言語や相手を選ばない、道具もいらない、そして世界中どこでもできる仕事ですから。

海外に移住するということは、そこでしか生きられないようになることではありません。

日本でもいいし、海外でもいい。いざとなったら世界のどこでだって暮らしていく。住む場所や、やっている仕事に依存しない。**どこに住んでいても、何をしていても、そういう自分でいると、最終的にものすごくラクなんです。**

2 ビザのこと

30歳以下ならとりあえずワーキング・ホリデー

居住ビザ。それは海外移住を叶えてくれる、夢の懸け橋。なのですが、国家権力とは無縁の小市民(**さらに低所得、腰痛持ち**)である隠居にそんなもん発給してくれる国などありません。

しかーし!

30歳以下ならワーキング・ホリデー・ビザが使えるのです。

日本は2020年現在、世界26か国とワーキング・ホリデー協定を結んでいます。国によって条件は微妙に異なりますが、基本的に30歳くらいまで、1年間滞在できるビザを発給してもらえる、という制度。

こ、これだ!!

で、肝心なのはどこに行くか、です。

多くの人が憧れるハワイ(アメリカにはそもそもワーホリ提携がないですが)や、オーストラリア、シンガポールなど、物価の高めな国は光の速さであきらめました。そんな金がどこにあるんじゃい。7時間以上も飛行機に乗って行ったり来たりするほどの気力も体力も、もうとっくの昔からないんじゃい。30過ぎて、まったくなじみのない言語の国に行くのもしんどいんじゃい。

だから近隣諸国で、がんばらなくてもなんとかやっていけそうで、言語も少しくらいは理解のとっかかりがあって、日本より物価が安い国ということで、台湾なんかいいかもしれない、と思い始めたのでした。

実は私、その前に、「30歳まで」という期限につられて、行くかどうかはさておき、以前住んでたことのあるイギリスのワーホリを申請してみたんです。しかし競争率が高すぎて落選。毎年、国ごとに発給数が決まっているんですね。

なので、もう完全あきらめモードだったんですが、とりあえずダメモトで東京・白金台にある「台北駐日経済文化代表処（台湾の大使館にあたる）」に電話をして聞いてみました。

「もしもし、今年の台湾のワーキング・ホリデー・ビザって、もうないですよね」

「ありますよ」

「え！　ほんとですか！　どれくらい残ってますか」

「たくさん残ってますよ。ていうか毎年余ってますよ」（↑ほんとにそう言ってた）

台湾に決定いたしました!!

さっそく、ワーキング・ホリデー査証専用申請書をネット上で作成してプリントアウトし、各提出書類を合わせて、台北駐日経済文化代表処に持っていきました。

このとき、1年以上の海外旅行保険の加入証明書も必要になるのですが、これはクレジットカードの付帯保険は認められません。

私は大手の保険会社で12万円くらいする1年分の海外旅行保険を契約し、その保険証書でビザをゲットしたあと、それをキャンセルして国内外で使える1年間の損保ジャパン日本興亜の傷害保険（こちらは2万円くらい）を発見したので、それに切り替えました。傷害保険なので疾病はついていませんが、3か月に一度日本に帰れば、クレジットカードの付帯保険（3か月間有効）の疾病保障で何とかやっていけるはず、と踏みました。

実際に入国するときは、保険証書のチェックもなく、まったく問題ありませんでした（いやあるのかもしれないが……）。

さて、そんなこんなで提出した翌日に（早っ！）、無事ワーキング・ホリデー・ビザをゲットできました。台湾の場合は、30歳までに申請をしておけば、出発時に31歳になっていてもOK、とのこと。それで31歳になっていた2016年の秋に、台湾へ出発できました。

なんだよ〜、30歳過ぎてたら海外移住できないじゃん、とお思いのあなた！　そこは次の手があるので大丈夫です。実はいま振り返ってみると、最悪、ワーキング・ホリデー・ビザを取らなくても台湾移住できたかも？　と感じています。これは後述しますので、どうぞ安心して読み進めてください。

3 お金と保険はどうする

予算と所持金は？

さて、肝心の移住用お予算ですが、30万円を少し超えるくらい、でした。

東京隠居時代は、何かあったときのための貯金目標として、1か月の最低限生活費（私の場合は6万円）×半年分程度、を設定していたんですが、これをそのまま移住費用に充てた、というわけです。

しかし、ここからパスポートの更新料、ビザ申請費用、海外旅行保険代、往復航空券などを引くと、あっという間に20万円を切ってしまいました。

台湾のワーキング・ホリデー・ビザ申請時には、20万円以上の残高証明が必要なので、あわてて当時働いていた介護事業所に給料を前借りし、事なきを得ました。

結局、アパートの退去、海外でも使えるスマホや新しいパソコンの購入をし、台湾へ出発するときの所持金はたったの17万円……。

台湾に着いたら、遅くとも1か月くらいで仕事を見つけなければヤヴァイことになる。

低所得者の移住に、現実はシビアなのです。

クレジットカードの付帯保険でOK

さて、前述のクレジットカードの付帯保険ですが、私は三井住友VISAカードAというのを持っています。

これは東京での隠居時代に、あったほうがいいかと思って年収を詐称して作ったものの、結局日本に住んでいる間はほとんど使わなかったものです。とくに年収証明なども求められることなく審査通ったんですけど、これはいまでも東京隠居時代の七不思議のひとつに数えられています**（あとの六つは知らん）**。

ちなみに一般の三井住友カードより、三井住友カードAのほうが、付帯の海外旅行保険の内容が若干厚いので、海外で隠居するならこちらのほうがいいと思います。

ただし旅行の交通費（航空券など）をこのカードで支払うことが条件になります。

いえ、お金があるなら保障の厚い大手の海外旅行保険に加入したほうが絶対にいいんです。でも、予算が30万円しかなかった私には身の程を超えた贅沢でしたので、これは窮余の一策。

スマホは絶対にＳＩＭフリー

海外へ移住すると決まったら、スマホは必ず国内外で使えるＳＩＭフリーのものを買いましょう。各国の空港でＳＩＭカードを買って差し込めば、その国でネットや通話が使えるようになります。

私はイギリス、インド、台湾、韓国、シンガポールと世界各国でケータイやＳＩＭカードを買ったことがあるのですが、日本のケータイのプランや契約って煩雑&高額で、ダントツで利用しにくい。「またこのキャリアを使おう」とか思えたためしがない。だから日本の通信会社に何の思い入れもありません（利用者の声）。いまは日本でも格安ＳＩＭが出てきているので、どこのキャリアでも使えるＳＩＭフリーのスマホのほうが利用価値が高いように思います。

4 住む家を探しておく

ネットやアプリで台湾の友人を作っておく

出発が決まったら、ＳＮＳやスマホアプリで台湾の友達を作っておくとよいと思います。どうやって作るかって？　そりゃもう21世紀ですから、ＳＮＳやマッチングアプリという便利なツールがあるじゃないですか！

ひと昔前なら出会い系サイトとか言われて偏見もあったと思うけど、いまはオンラインで友人、パートナー、もしくはセフレとかを探すのって選択肢のひとつとしてかなり一般的になってきてますよね。私の友人にも、婚活サイトを使って結婚した人がいます。

ちなみにヘテロセクシュアルのみなさんには「Tinder」とかが人気だと思いますが、私のようなゲイや、バイセクシュアルのみなさんに一番人気なのは「Grindr」とかでしょうか？

実は私、移住を考えるよりも前に、台湾に興味があって、行きもしないのにガイドブックや、関連本を読み散らかしていた時期があったんです。そのころ、台湾人とチャット友達を作ってみようと思ったのですが、当時はまだスマホを持っていなかったので「Grindr」が使えず、「Gaydar」というPCサイトを使いました。

英語ができる人は多いだろうと踏んでいましたが、プロフィールに日本語ができると書いてる人も何人か発見。ユーザーはやはり都会のほうが多いので、台北で、日本語ができて、年齢も近いKさんという台湾人（いうまでもなく男性です）にメッセージを送ってみたら、即レス。写真を交換したら、即プロポーズ…。いやいや、ネット上で知り合って1日で「結婚してください！」って言われても‼　というのも、一人好きな私は恋人がほしかったわけではないので、顔や性格がタイプであるとか、そういうのを求めてはいなかったのでした……。そもそも、このとき（２０１６年）はまだ、台湾では法的に同性婚自体ができなかったですしね。

（注：２０２０年現在は台湾での同性婚は認められていますが、「同性婚が認められていない国出身の外国人と、台湾人の結婚は不可」となっています）

で、まあ結局、そのときは台湾に住んでないし、移住する予定もなかったもんだから、しばらくチャットをしたあと、返事は来なくなり、連絡は途絶えていました。

ワーキング・ホリデー・ビザをゲットし、いよいよ台湾に本当に行くとなってから、再度Kさんに連絡してみたら、また即レス。

「部屋は見つかりましたか?」

「仕事を紹介してあげます」

「結婚してください!」(↑数回に一回、はさみこまれるフレーズ)

などなど、南国から届く、親切なんだけど情熱的なメッセージに気圧されつつ、とりあえず台湾人の友人を作ることには一応成功したのでした。

と、まあこのように、海外にいてもネット上で「トモダチ」を作ることは可能になった昨今ですが、現実世界において、プライベートの、しかもネット上のやりとりの優先順位って、かなり下のほうですよね。ちょっと仕事が忙しくなったりすると、どんどん後回しに…。やはり突然連絡が途絶えたりすることが、ままあります。

これはオンラインで知り合うということの性質と、台湾人の気質(気分屋が多い)と両方だと思うのですが。忘れてるとか、気が変わったとか、とくに意味はない場合がほとんどです。再度連絡してみるか、他にトモダチを作ってもまったく気にすることはない、と感じます。ここは、日本人とのやりとりよりも気楽なところではありますね。

あとは、私の場合、こうしたマッチングアプリでメッセージを送っても、10人中多くて3人くらいしか返事は来ないです（他の人はもっと多いんですかね？）。だから、1人にメッセージを送ってリプライがなくても、これも気にすることはありません。次いきましょう、次！

普段から人助けをしておくと、あとがラク

一見、移住とはまったく関係ないように見えますが、私が日本にいるうちからやっておいてよかったと思うこととして、「困っている人がいたら助ける」があります。

といっても、分不相応な大金を貸すとかいう話ではなく、自分のできることでいいので、ちまちま何かをやっておくんです。

私はといえば、東京に住んでいたとき、隠居生活でひまだったのと、友達になぜか外国人の割合が多いのとで、彼らの部屋探しを手伝ったことが何度かあります。頼まれたわけではないんですけど、会社から紹介されたというアパートのエリアと家賃・間取りを聞い

てみると、練馬の田園地帯のワンルームで9万円とか、相場を知らないのをいいことにぼったくられてるとしか思えないことがたびたびあったのです。それで、彼らの部屋探しを買って出たのでした（**ちなみに私は格安賃貸サイトをネットサーフィンするのが好きなので、これは趣味も兼ねていました**）。

外国人でも借りやすいシェアハウスを紹介したり、一人暮らし希望ならネットで「外国人可」、さらに「保証人不要」の物件を探してあげたり。

ところが「外国人可」でも、国籍によって断られたりするし、大家さんが日本語しか話せない場合がほとんどで、これを現地語の話せない外国人が一人でやるのはムリだろうなぁ、と感じていました。

さて、台湾人は人情が厚い、というのはよく知られていると思います。たぶん、台湾を訪れたことのある人に聞いたら、現地の人に親切にしてもらった話の5つや6つくらい、秒速で挙げられることでしょう。

しかし、そこは日本人の私。台湾人の親切さって、昨今の日本では到底お目にかかれないような勢いだったりするので、こんなにしてもらったらご迷惑なのではないか!?　とか考えて、若干気おくれしてしまうこともある。

さあ、ここで件のKさん再登場。「台湾に引っ越すことにしました」と伝えたところ、次の返事で「アパート探しを手伝ってあげます」と申し出てくれたんです！　このとき、私は東京で外国人の友人の部屋探しを手伝ったりしていたこともあり、親切が巡り巡って返ってきたような気がして、すんなりと受け取ることができました。

要するに、「困っている人を助ける」を普段からちまちまやっておくのは、人のためではなくて、いざ自分が困ったときに誰かの助けを受け取るときの心理的ハードルを下げるためでもあるんですね。だからまあ、移住に限った話ではないっちゃないんですけどね。情けは人のためならずって、こういう意味だったのか。

見返りを求めていたわけではないんですが、いやぁ、できる範囲でいいから人助けはしておくもんですねぇ。

アパート探しは出発前から始まっている

現地到着後にイチから探すとなると時間のロスだし、できるだけ日本にいるうちに、内覧希望物件はある程度決めておきたいですよね。

日本と同様、台湾でもアパート探しはネット上に情報がたくさん出ています。が、そうした物件紹介サイトは当然ながらほぼ中国語。日本人向けの不動産屋もあるにはありますが、やはり客層が裕福な人が多いのか、都心でキレイでお家賃高め……。

しかし私の台湾移住の目的は、仕事や勉学ではないんです。ただひっそりと日常生活ができればいいんだから、郊外の学生街にある安普請のアパートとかでいい。そんな下降志向で台湾くんだりまでやってくる日本人はあんまりいないのか(そりゃいないか)、日本語の格安物件情報などありません。

というわけでいさぎよくKさんに丸投げ。条件を伝えて合うものをいくつかピックアップしてもらうことに。

私がKさんに伝えた条件は、

＊とにかく安さ。東京のアパートの家賃が2万8000円だったので、絶対にそれ以下
＊共用ではないシャワーとトイレがついていること
＊ネットと最低限の家具もほしい
＊郊外の学生街(とくに家賃が安めと思われる路線の終点駅くらいの僻地。淡水《ダンシュイ》なんかGood)

です。

すると同じ大家さんの所有物件で、淡水駅が最寄り、学生向けのワンルームを2軒選んでくれました。駅近の6300元（2万2680円）と、丘の上の4500元（1万6200円）。写真はなかったけど、一度に2部屋見せてもらうことができますし、条件も満たしている。私はもちろん安いほうを選ぶ気まんまんで、「ありがとう！　台湾に到着したら連絡しますね！」とKさんを通じて大家さんに連絡してもらったのでした。

5 事前に台湾事情を知っておく

中国語は一秒も勉強しませんでした

台湾の公用語は、メジャーな順に北京語（一般的に中国語、というときはこれを意味します。台湾では、台湾国語または台湾華語と呼ばれ、北京語とは語彙や発音が一部異なる場合があります）、台湾語、客家語《はっか》、そして各原住民の言語、と続きます。

ですから当然中国語を勉強していくことになるのですが、私はけっこう直前に出発を決めたので、事前に勉強など一切せずに台湾に行きました。どうなることやら……。

これを読んでいるみなさんは、当たり前ですけど時間があるなら中国語の勉強、しておいて損はないと思います。

現地の文学が最高の生活ガイド

現地の旅行ガイドや移住ガイドを読んで準備していくのもいいのですが、私がやっといてよかったと思ったのが、現地の文学やエッセイを読んでおくこと。

私は国書刊行会から出ている「新しい台湾の文学」のシリーズをいくつか読んでいきました。台湾の歴史や風土が、どんなふうにそこに暮らす人のアイデンティティのゆらぎや、思考の方程式のようなものを作っているのか、理解するためのとっかかりを与えてくれます。ただ、国書刊行会のラインナップは、最近のアジア文学ブームが起こるよりも圧倒的に翻訳紹介が早かったため、どちらかというと大家の作品を多く手がけている印象があります。

いまなら台湾で注目される若手〜中堅作家の作品も簡単に読めるようになっています。とくに白水社のエクス・リブリスのシリーズは、呉明益《ウーミンイー》さんや甘耀明《ガンヤオミン》さんなどの作品を積極的に翻訳していて、現代の台湾のようすや、人々の情緒のありかたがわかってとても面白いですよ。

また、文学作品ではないですが、日本と台湾の関係を知りたいなら、蔡焜燦《さいこんさん》さんの随筆『台湾人と日本精神』、小林よしのりさんの漫画『台湾論』などがとてもわかりやすいです。

＊　＊　＊

風水で運を鍛えておく

これはまあ、おまけというか、好きな人だけがやればいいんですが、私はやっておいてよかった、と思うことがこちら。

風水で、運を鍛える！　です。

風水といってもいろいろありますが、たぶんいちばん有名なのは、「インテリア風水」ではないでしょうか。ところが、小さなワンルーム住まいの隠居には、まったく現実的じゃないんですよね。「北の部屋には〜」とか言われても、一部屋しかないんだってば！

そんなわけで、インテリア風水はほぼ無視しています。

それで、私がよく使うのは「旅行風水」です。

私はもともと温泉が好きで、近場に日帰りでよく行っていたのですが、世の中に「吉方位」という概念があると知ったときから、風水の本を読むようになりました。運のいい方位と悪い方位がある。せっかく温泉に行くのなら、運が悪くなりたい！　と思う人はいないでしょう。

詳しくは、世にあまた出ている本を当たってみてほしいんですが、旅行風水というジャンルは、風水のなかでも、即効性があり、効果が時間ではっきりわかる、とのこと。

吉方位に出かけると、たとえば「月の吉方位」に出かけたら、4、7、10、13か月後のいずれかにその効果が表れる。

ということらしいのですが、実は私、これにも懐疑的でして。実際、そうでもないな〜、と思うんですが、じゃあなんで続けているかというと、どうせ日帰り温泉には毎月のように行くんだし、「ついで」みたいなもん、というのがひとつ。

そしてもうひとつは、いざというときに、「自分にできることはやった。あとは運頼みだけど、私は普段からあれだけ運の良くなる行動をしてるんだから、まあなんとかなるっしょ」と、自分に催眠がかかり、必要以上に不安にならずに済むことです。

この心理的効果が、もしかしたらいちばん役に立ってるかもしれない。「運だけはいいから」と思い込んでると、ほんとになんとかなったりします。なんともならなかったら、さっさと忘れちゃう。

で、その、いざというときが何かっていうと、たとえば今回の「台湾移住」だったりするわけです。引っ越すときも、ちょうど南西(=台湾のある方角)が私にとって吉方位にあたるタイミングを選びました。

とはいえ、温泉が好きでなくても風水はできます。

風水の基本は、「掃除」だからです。

自分の基礎となる家がきれいに片付いていないと、溜まる運も溜まらない。だから掃除、とにかく掃除。どこにも出かけなくていいし、運動にはなるし、きれいになれば気分がいいし、何よりお金がかからない、というのが最強すぎる！

と、このように、風水といっても私は好きなところだけつまみ食いしてズボラに利用してるわけですが、人力ではどうにもならん「最後のひと押し」が必要なとき、これを続けているとけっこう自信になります。

ただ、このジャンルは目に見えないのをいいことに、好き勝手言う人もいます。どれをやればいいいか、見極めるポイントのひとつは、「お金がかからないこと」。それをやることで、誰が得しようとしてるのか、ガン見するんです。

「運を良くするためには、このパワーストーンを…」とか言われたら、そういうのには近づかない。

私はこれをひとまずの基準にしています。

6 台湾へ出発！

さよなら、東京

東京のアパートを退去する日。

ガスと電気と水道屋を待ってる間、部屋にはトランクひとつと私だけでやることがない。

「いままでありがとう。お世話になりました」と部屋に向かって言ったら、ギターのボディみたいにうわぁん、と声が残響になった。家具があったときは、こんなことなかったのに。家具って、声や音を吸収するのかな。

思えばここで隠居生活が始まって、いろんなことがあった。また、いい人に住んでもらえるといいね。

帰国したら、誰が住んでるのかたぶん見に来ちゃうなー。ほんとにいままでありがとう、家。

成田へ、台湾へ

東京駅から成田へは、千円のバスが出ている。**それに乗って、ほっとした。**

東京に暮らしてはいても、都心のほうにはほとんど行かないので、人や情報の多さにはやっぱり慣れないのでした。いやでも視界に入ってくる広告にも、胃袋何個あるんだよっていう、カフェやレストランや弁当屋の多さにも。ものすごい早歩きでぶつかってくるサラリーマンの群れにも。

東京で、地道な努力を積み重ねて隠居生活にたどり着いてからの約6年間、それはそれで達成感もあり、楽しかった。でも、一歩外に出ると「お前のせいでGDPが下がった」とか言われるし、私自身が許しても、日本社会に私は許されていないのだな、と思うことも多かった。要するに、何をしてても日本では「それが経済的に価値があるかどうか」みたいな尺度でしか見てもらえないんですよね。元気なときは、「ふざけんな！　お前らにカネ以外の価値観はねーのかよ！」とか反骨精神を燃やす燃料に使えるけど、調子が悪いときはけっこうしんどかったなぁ。ま、それもこの街を去るいまとなってはいい思い出だ。

これから移り住む国ではどうだろう。東京のアパートは引き払って背水の陣だし、何も決まってないいけど、あまり不安は考えないことにする。

成田から台湾へのフライトは、台風が近くて、揺れまくり。赤ちゃんがギャン泣きしていて、左隣のおっさんが舌打ちして「うるせーな」とか言ってて、前列のおばさんは座席を倒されたのにキレてぐいぐい押し返してる。右隣の若い女の子は靴を脱いで座席に膝を立てていて、足が臭かった。日本人って、こんなんだっけ？ 台風よりも、この人たちと問答無用で旅をしなければいけない、ということのほうが不安だ。

幸い、成田〜台湾へのフライトは2時間半。何事もなく台湾に到着できました。よかった……。

台北《タイペイ》近郊の桃園《タオユエン》空港の第2ターミナルに着いたら、入国ゲートの前で、持ってきた17万円を一気に両替。実際はゲートのあとのほうが窓口もたくさんあって、レートも同じ感じで空いてたので、焦らなくてもよかったみたい。

サブウェイでVeggie Delightを食べて、コーラを飲みたかったがソフトドリンクのディスペンサーが壊れてたのでリンゴジュースにした。１０９元(約３９２円)、日本で買う値段の3分の2ぐらいかな。覚えておこう、ファストフードって物価の比較に使えるから。

台湾でのファースト・ミッション。SIMカードを買う

さあ、何はともあれプリペイドSIMカードです。

第2ターミナルの到着ロビーには、主要3社(台湾大哥大《タイワンダーグーダー》、中華電信《ヂョンホワデイエンシン》、台湾之星《タイワンヂーシン》)のカウンターが並んでいます。どれも値段や内容は横並びですが、私は「台湾大哥大」の360日間有効のものにしました。1万元だったけど、ひと月に直すと3000円、これで無制限のネットと通話もついてるんだから、日本よりはずいぶん安いと思います。桃園空港でSIMカードを買うことの利点は、店員さんが外国人慣れしていて、英語が通じるところです。その場で即開通、設定なども店員さんがぜんぶやってくれましたよ。

ほかに安いプランもありますが、まずはデータ無制限のものを買っておけばよいと思います。生活の基盤が整ったとき、自分の仕事や生活スタイルにどれくらいの容量が必要であるかがわかってくるので、そのときに自分に合ったものに移行すればOK。

私の場合はあまり外出しないのと、家にWi-Fiがついているのとで、のちに、180日間1000元(8GB)のプリペイドSIMカードを使うようになりました。チャージす

るときも、番号もSIMカードも変更なしで、店員さんがちょちょいのチョイでやってくれます。ひと月に直すと、なんと約600円。それ以降、期限が切れそうになると、桃園空港か、士林《シーリン》夜市などの観光客が多いエリアのお店でチャージをしていますが、いまのところまったく不自由してません。

台北市内へ移動して、仮の住まいにチェックイン

SIMカードを手に入れたら、さっそく市内へ行くことに。バスはいろいろ出てますが、国光客運《グオグアンクーユン》というのにしました。なんでも一番並んでるところにしとけば間違いないっぽい。空港を一歩出ると、台風が近い高温多湿の風がまとわりついてくる。空気、重っ！　ぜんぜん気持ちよくない。体がずーんと重くなったように感じる。

バスを待っても一人。唯一の知人である台湾人Kさんも、ネット上でチャットしただけの間柄だし、**迎えを頼めるほど仲のいい人など台湾にはいないという身の上なのでありました。**

バスが来て、濃い顔のイケメンの隣に座る。話したらフィリピン人のCAだそうだ。前の座席の台湾2歳児と「Hii Five !」とか言って遊んでたから父親かと思ったら赤の他人

だった。母親のほうもニコニコしている。さっそく、日本ではあまり見ない光景。

台北駅には1時間くらいで到着。台風の影響か、バス停の屋根がふっとんでいた。何はともあれ、タクシー乗り場へ。台湾に着いてからはじめの5日間は、西門町《シーメンディン》の安いゲストハウスを予約してある。

タクシーは中国語オンリー。スーツケースはセルフで積み込む。ドアもセルフで開ける。さっそく中国語でゲストハウスの住所を見せるのにスマホが大活躍してくれる。

7時半ぐらいにゲストハウスに着いたら、ドミトリーが水漏れで勝手にツインルームにアップグレードされていてラッキー。

夜は近所の麺屋街へ。ゲストハウスのレセプションの女の子に教えてもらったザーサイと豚肉の汁麺を食べた。

翌日の朝ごはん用に、向かいのセブンイレブンでサンドイッチと100％ジュースを買う。

KさんにLINEで到着の報告。大家さんに連絡してくれて、さっそく翌日から部屋の内覧。よし、いつまでもゲストハウスにいられないし、さっさと決めるぞ。

營業時間
下午3:30~10:30
(每週一公休)

第2章

台湾で日常生活を作り上げる

ここでは、台湾到着から日常生活を作り上げるまで、を紹介していきます。

私が台湾生活を整えるまでに心がけたことは、「なるべく観光しない」。台湾に来た意味がない、と思う向きもありましょうが、そんなもん後回しでいいんです。まずは生活を、衣食住を最速で作り上げ、それに慣れること。これを最優先事項にしてました。

もしも2泊3日で台湾に来ていたら、ここぞとばかりに台湾でしか食べられないものを探し求めて歩き回り、寝る間も惜しんでトライしてたと思う。

でも生活が、日常と呼べるほどできあがっていないときっていうのは、なんだか毎日がよそゆきで、自分がうす～くて、落ち着かない感じ。

知らない場所に放たれた猫のように、心がじっとしている。

そんなときに余計な刺激はストレス増、と隠居は判断を下し、しばらく心のスイッチをOFFにしたわけなのでした。

実際やってみて気がついたのは、普段からミニマルな暮らしをしていると、新しい環境でも生活の組み立てが速いということです。

必要最低限のものって、どこに住んでもそんなに変わらない。それは日本国内だけの話ではなく、海を越えても同じというのは発見でした。

だから生活スタイルは、住む場所に依存しない汎用性のあるものだと、引っ越したときにも便利。台湾隠居生活を作り上げるのは、日常生活ができあがってからでも決して遅くはないと思います。

1 家を決める

アパート契約が日本と比べてラクすぎる

Kさんとはまだ直接会えていないが、彼を通じて大家さんに連絡し、台湾到着の翌日にアパート内覧へ行くことになりました。

内覧は私一人で淡水駅前に行き、大家さんと待ち合わせ。駅前といっても広いので、どこにいるのかな〜とキョロキョロしていたら大家さんから電話が。中国語で、何を言ってるかまったくわからないので、そのへんの大学生に頼んで英語に通訳してもらい、無事大家さんと落ち合うことができました。

この大家さんが、いままで出会ったどんな人よりも丸顔で、かわいいおっさん。台湾は大家の権利のほうが圧倒的に強いそうなので、感じのいい大家さんと長くつきあいたいものです。この人なら大丈夫だろうと直感しました。

大家さんは中国語オンリーなので、スマホのGoogle翻訳でお互いおぼつかない会話。でも「外国人だから」というだけでダメとか言わず、ちゃんとコミュニケーションをとろうとしてくれるところが台湾っぽい。そして初対面なのにバイクの後ろに乗せて、アパートまで内覧に連れていってくれるっていうのも、すごく台湾っぽい……。２つの部屋を紹介されたが、私はもちろん駅から遠くて安いほうにしました。


メインストリートから少し脇に入ったアパートの４階の一室。安いのでエレベーターはありません。メインのエントランスと廊下が共用で、廊下の両側に各部屋のドアが並んでいます。８畳ほどのワンルームにはシャワーとトイレが個別についていて、ベッド、クローゼット、テーブルとイス、テレビ、冷蔵庫、カーテン、Wi-Fiすべて備え付けで家賃に含まれています。

さらに大家さんがアパートごと契約しているので、電気・ガス・水道も中国語での手続きなしで、引っ越したその日から使えるんです（**よって、固定費は供給会社ではなく大家さんに、家賃といっしょにまとめて支払い。ラク！**）。アパートによって違いますが、うちのは共用の洗濯機もついてます。これでコインランドリーに行かなくてもＯＫ！

台湾、新生活のスタートがラクすぎる……。もうこの時点で、外国人でもかなり生きていきやすいかもしれない、と私は予感しまくりでした。勝手のわからない外国人ならなおさらですけど、とりあえずでも入居してすぐに生活が始められるのは、めちゃくちゃありがたいですよね。

契約は後日、通訳としてＫさんが来てくれるというので、この日は内覧だけで解散。帰りは散歩がてら駅まで歩きたいので、といって大家さんの送迎を断りました。丘の上とは知っていたが、けっこうな坂道だった。疲れてるときとか、天気が悪い日なんかしんどいなあ、と先が思いやられたが、調べたらバスがばんばん出てて（**近所に大学あるし、そりゃそうか**）、大学も一般開放されてるから自由に散策できて、一気に気分があがったんでした。

3日後、私の一時滞在先である台北市内の西門町まで、大家さんがアパート契約に来てくれるという。

通訳をしてもらうため、友人Kさんと6番出口で待ち合わせました。初めてKさんにリアルで会ったところ、まゆげとか顔の形とかが、龍のゆるキャラみたいでかわいい。

契約の前にKさんとカフェに行く。台湾のカフェってどんなんかと思ったら、東京にもありそうな、フツーにおしゃれなカフェ。最近台北にも多いらしい。

オムレツとサンドイッチのセットを食べながら、台湾の話。

台湾のお米はコシヒカリを育ててるとか、日本統治時代と国民党軍時代それぞれ台湾の街の写真がネットに出てるのを見たら、日本時代のほうが圧倒的にキレイだった話（**蒋介石は本土にすぐ戻るつもりだったので、台湾はどうでもいいと思っていたらしい**）、台湾の最低賃金はコンビニの時給120元くらい（432円。2016年の時点で）、という話。しかも日本に住んだことないのに、ぜんぶ日本語で。

なんかKさん、ふつうに親切で、頭がよくて、それでいてちょっとシャイな好青年なんですけど。南国の男って、もっと陽気でよくしゃべって情熱的、というイメージだったんだけど、メールのテンションとぜんぜん違うじゃん。ほんとに同じ人？　ちょっと肩すかしというか、初対面で「結婚してくれ」と言われたらどうしよう、と内心ちょっと身構えていたのでした。あ、現実の私に会って向こうががっかりしたという可能性もあるが。まあいっか。

そのあと大家さんと合流し、なんと西門町駅6番出口前のセブンイレブンのイートインスペースで契約。えー、そんなカジュアルに!? パスポートも、パラパラっと見ただけで返却。ビザのチェックとか、番号を控えるとかしなくていいんでしょうか…。保証金9000元(3万2400円。家賃の2か月分)を支払うので、保証人も不要とのこと。収入証明とか、身元証明も求められず。ハンコも不要で、サイン一筆、ハイ終了!

契約書の袋に値札がついているので、聞いてみたら「契約書は店に売ってるんだよ〜」と大家さん。これはヘンな改ざんができなくて安心かもしれん。

契約はこの日(2016年9月18日)から2017年8月31日まで。毎月10日までにその月の分を振り込むことになっています。そして電気水道は2か月ごとに使用量と料金を、大家さんがドアの前に貼っておいてくれるので、こちらも家賃と同時に振込。契約期間前に部屋を出るときは、保証金2か月分は没収。出るときは1か月前までに契約更新の連絡を、ということでした。

う〜ん、しかし内覧も契約もこんなに簡単でいいなんて。日本でアパートを借りるときのあの煩雑な手続きっていったい何だったんだろう。無駄なプロセス多くないか？　やっぱり台湾、得体のしれない外国人にも、所得の少ない隠居にも、生活しやすそうだ。

というわけで、予想通り郊外の学生街に、つましい隠居生活に申し分のないアパートを借りることができたのでした。私、ほぼ何にもしてないな…。Kさんには感謝しかない。アパートの契約を終え、予算は残り約3万5000元（12万6000円）。

神様に引っ越しのごあいさつ

日本にはどこにでも、その土地を守ってくれている氏神様っていう神社がありますよね。私は新しい土地に引っ越したり、旅行や仕事で出かけたりすると、必ずその土地の神社に安全祈願をすることにしています。

というわけで、郊外のアパートに引っ越す前に、台湾の神様に引っ越しのごあいさつをするべく、とりあえず有名っぽいお寺へ行っておくことにしました。

まずは、過去に一度観光で台湾に来たときに訪れた、萬華《ワンホワ》の龍山寺《ロンシャンスー》へ。
私は龍山寺駅４番出口から出たんですが、このあたりは、高齢の浮浪者のたまり場のようになっていて、治安がよいとされる台湾のなかでも、注意が必要らしいです。まあ、昼間の人が多い時間帯はそんなこともないと思いますけど。

出口の目の前が龍山寺なのですが、自然のままの色を大事にする質素な日本の神社に比べて、さすが中華寺、ものすごく装飾が派手です。彫刻も緻密で、屋根の上には一対の龍と赤いドラゴンボールがあります。龍のひげが天に向かってピーンとしていて、あれを見て龍山寺に来たな〜と思ったのでした。

台湾では、神様にお参りするのは特別なことではなくて、ごく日常的なことみたい。老いも若きも、たくさん人が祈ってるのを見て、人間の営みっていいなあ、と思う。

この地での隠居生活がうまくいくかどうか、おみくじを引きました。

台湾の神様は、おみくじへの道のりが険しい。まず赤い半月型の木片**（ポエという）**を一組手に取り、氏名・生年月日・住所・神様に聞きたいことを唱えます**（台湾人、実際に口に出してボソボソ唱えてる人が多い）**。そしたら、この願い事について、おみくじを引いていいかどうかを尋ねます。ポエを床に投げて、裏表の組み合わせが出たらＯＫ。それ以外ははじめからやり直し。

その後、おみくじの番号がふってある竹の棒を1本選びとり、「このおみくじでいいですか?」を聞くためにもう一度ポエを投げる。ここで、なんと3回連続OKが出ないとおみくじが引けない。一度でもNOだったら、またはじめからやり直し。何この苦行…。

私は4回目でやっと三日月形の杯が3回連続YESになり、引いたら上上でした。これ台湾では大吉なんだって。

おみくじの解説をしてくれるところがあり、日本語を話すおじさんに聞いたら、「今年は事業運が一番いいですよ。実力もありますから、自信をもって。善行をすれば、天の神様が助けてくれます」とのこと。私、働きたくなくて台湾に来たんですけど、事業運っていったい……。

住居に見る台湾人のてきとうさ

実際に生活を始めてみると、台湾のアパートのつくりが実にてきとうであることに気がつきました。

まず、クローゼットのスライドドアが最後まで閉まらない。建て付けが悪いのか、ちょっと斜めになっていて、締め切ったあとに少しずつまた開いていくのです。ううむ。これではドアの意味がないではないか。

そういえば内覧のとき。このクローゼットは窓際に置いてあるんですが、窓際に近づけすぎて窓のロックが開けられなくなっており、大家さんと一緒にクローゼットを窓際から離らかしたなぁ。作る人もてきとうなら、置く人もてきとう…。

次にシャワールーム。トイレと洗面台とシャワーが一緒になっているユニットバスみたいなタイプなんですが、浴槽も仕切りもシャワーカーテンもありません。ということはつまり、シャワーを浴びるたびに床面がビッチャビチャに。

はじめは、放っとけば排水溝に流れていくだろう、と踏んでいたんです。ところがいつまでたっても流れていかないんですよ。よく見たら、床面が完全にフラット。日本だったらふつう、排水溝に向かって水が流れやすいように、少し傾斜をつけるよなぁ。

そしてここでみなさんの頭の中に思い浮かんだ、うちのシャワールームの配置を聞いてみたい。おそらく、ほとんどの人が、ドアを開けてトイレ、洗面台、シャワーの順にイメージしたんじゃないでしょうか。

逆です。うちのシャワー、なぜかトイレより洗面台より手前にあるんですよ。ドアを開けたらすぐシャワー。日本だったらふつう、シャワーは奥につけますよね。トイレと洗面台のほうが使う頻度が高いから。それに最悪排水が悪くても、奥にシャワーがあればトイレのたびにそんなに足を濡らすこともないじゃないですか。

さらに、なぜかガスの給湯器がシャワールーム内にある。これ、使ってるときにガス漏れしたら死ぬんじゃや…。

このとき私の中に、台湾人は建物を建てるときに何も考えてない説が浮上。

私のアパートが安普請なだけかと思いましたが、その後、アパートの階段の電気のスイッチが壁からびよよ~んと飛び出ていたり(所有者が直すだろうと思ったまま3年が経過)、公衆トイレでトイレットペーパーがトイレ本体の横ではなく、後ろにあったりするのを見て、私の説は確信に変わりました。

しかし、もうそのころには慣れていた私。「使えればいいんだよ~」ってなもんで、もはやおかしいとも思わなくなっていました。

長く日本に暮らしてすっかり求める生活水準が高くなっていた、とわかるのはこんなときです。トイレなんて用が足せればいいんだし、シャワールームはシャワーを浴びられればいいんですよ。死にゃあせん。

あるとき台湾の日本語情報誌を見ていたら、浴室内の給湯器がガス漏れして、日本人留学生が死んだという事故の記事が載ってましたが、見なかったことにします。

2 仕事のことを考える

中国語が話せない私ができる仕事って？

隠居生活にも、先立つものが必要です。お金、仕事。まったくアテがないまま来ちゃったし、どうしよっかな〜。

これは書くまでもないことですが、中国語ができない私は、台湾ではかなり仕事の内容が制限されました。

台湾人向けのショップやレストラン、会社はまず無理。日本人向けのサービス業ならできるかもしれないが、せっかく台湾に来たのだから、台湾人を相手に何かしたい。

じゃあ、ない仕事は作っちゃおう！　ということで、当初、中国語ができなくてもやれそうなことをいろいろ考えていました。

まずひとつめに、日本語と英語の2か国語対応メニュー作成を請け負う仕事。中国語はできないといっても漢字は読める。そして私は英語ができるので、観光地のお店や会社に連絡して、お店で使える日本語&英語メニューを作成するとか。なんなら翻訳アプリなんかも駆使して、世界各国語を用意し、ラミネート加工して穴をあけ、リングでまとめてハイどうぞ。いいんですよ、こういうのは完璧じゃなくて。べつに文学作品を翻訳するわけじゃないんだから。

小さな個人店だったら、お礼はお金じゃなくてもいいし、今後メニューが変わったりするたびに永続的に担当するし、いろいろ雑用も手伝うからごはん食べさせてくださいね～、とか頼んでも面白そう。

もうひとつは、「日本の介護」です。

高齢化の波は台湾にも押し寄せ、介護をする人手がぜんぜん足りてないんですね。そこで台湾政府の主導で、インドネシアやフィリピンなど東南アジアの人々に「介護ビザ」を発給して、働きに来てもらうというプログラムがあるんだそうで。この場合は月収も決まっていて、3年前の時点では、たしか1万8400元(約6万6000円)くらい。台湾の若者の平均年収は50万元(約180万円)程度らしいのですが、介護ビザの場合はそのさらに半分以下、ということに。

台湾の介護事情は、日本とはずいぶん違うな〜と思うところもあります。まず「介護」という仕事が、きちんと資格のあるプロフェッショナルな職業として認識されていないように感じました。

台湾の街中や電車内で、東南アジア系の人たちが車いすを押しているところをよく見かけますが、お年寄り、けっこうほったらかしにされてます。一度など、公園で一人の台湾人のお年寄りと、介護者+その家族大勢、というグループがいて、お年寄りは外国語の会話に加われず、一人ぽつんと取り残されていました。

東南アジア系の移民だと、お手伝いさんをしてる方もたくさんいるので、職業というよりはお手伝いの延長、という感じなんですね。

これは改善の余地あり!

そこで、日本の介護資格を持っている私が、個人的に契約して手厚い訪問介護をしてみたらどうか、と思ったわけです。紹介制にすれば、一人でも仕事の量は調整できそうだし。外国人の彼らができるんなら、私だってできるだろう。

うまくいったら会社にして、はじめは日本の有資格の介護者を雇い、やがては介護の勉強ができる専門学校も現地に作ったりして、台湾の介護業界を牽引。

最近は台湾で事業を立ち上げるハードルが下がっていて、資本金は50万円くらいからでいいそうだし、妄想が広がります。

そしたら近所を散歩中に大型老人ホームを見つけたので、ムフムフしながら入っていき、受付で「介護スタッフ探してませんか?」と聞いてみましたが、「わからない」と言われてしまいました。っていうか、よく考えたら人事部でもないのにわかるわけないですよね。まあ、イマドキはネットでもSNSでも仕事を探すことはできるし、ぼちぼちやってこー。

と、ここではたと気がつくのです。

おっといけない、そんなに働いたら隠居ができないではないか。それに、外国人の場合は基本的に年収ノルマというのがあるらしい。無理。ノルマ怖い。

とりあえず保留にして、台湾に移り住んだことを仕事上の知り合いに一斉報告しておきました。

3 台湾で暮らしを始める

汎用性のあるアイテムをフル活用して生活を組み立てる

日本でもそうだと思いますが、引っ越したときって、とりあえず生活できるようにするために必要なものがいろいろありますよね。

前述しましたが、台湾のアパートは基本的な大型家具は揃っていることが多いけど、ベッドシーツ、かけぶとん、枕カバー、食器、調理器具、掃除・洗濯用品、電気小物などはついてません。

こうしたものが、意外とどこに売っているのかわからない。日本でもそうなのに、ましてや海外で移り住んだ街なんて、もっとわからない。

とくに私はベッドシーツに困りました。

近所の商店では、ほとんど花柄、もしくは派手でガヤガヤした柄モノ。私は部屋の中が色柄でさわがしいのが苦手なので白無地のシーツがいいのですが、なぜか無地のほうが高いんです。そしてデザイン柄のついているファブリック系製品が、なんともオバサンくさい……。

そこで利用したのが言わずと知れたスウェーデン発のグローバルブランド・ＩＫＥＡ。台湾にもＩＫＥＡはあり、というか上陸は１９９８年なので日本よりずっと早く、２０２０年現在は、台湾には６店舗があります（敦北《ドウンベイ》、新荘《シンヂユワン》、新店《シンデイエン》、桃園《タオユエン》、台中《タイヂヨン》、高《ガオ》雄《シヨン》）。

とりあえずＩＫＥＡの一番安いラインナップで、最速で生活を組み立てることにしました。ディスプレイもお値段も、だいたい日本と同じなので買い物も楽勝です。

はじめにＩＫＥＡで買ったものは、以下です。

枕、枕カバー、かけぶとん、かけぶとんカバーセット　６９９元
シーツ　１９９元
小タオル　４枚組　79元
ボウル　１２９元
カッティングボード　２枚組　39元

合計　1145元（4122円）

ただし、IKEAの調理器具や食器類は家族サイズのパッケージが多く、ばら売りしてないものもあって、一人暮らしには使いにくい（箸、スプーン、まな板など）。これらのものは近所の日用品店で買ったほうが安く、量もちょうどよく調整できます。

その後、近所の日用品店で買ったものがこちら。

ハサミ　20元
テーブルタップ　39元
物干し　20元
果物ナイフ　29元
合計　108元（388・8円）

（箸やスプーン、フォークなどは、外食するときにけっこうしっかりしたやつをつけてくれるので、それを洗ってしばらく使っていました）

するとどうでしょう、部屋がぐっと部屋っぽくなりました。まあたしかに「とりあえず感」は否めないのですが、これから長く生活していくんです。ゆっくりと時間をかけて、気に入ったものを探していけばよいではありませんか。新生活のスタートと同時にオリジナリティを求めるとしんどいですからね。

とかいいつつ、あのとき買ったＩＫＥＡの最安値のシングルベッド用のシーツを３年間使い続けています**（意外と丈夫！）**。

意外と安くないのはなぜなのか

実際に台湾に来て生活してみると、意外と安くないんだな～、と思う。というか、高い安いにバラつきがある。

たとえば夜市メシや交通費なんかは、日本よりも格段に安いんです。では、どういうものが意外と安くないかというと、まことに所帯じみたレポートで申し訳ないが、まず掃除用品。

床の掃除用に、クイックルワイパー的なものがほしい。と思ったら、日本ではとりあえず百均に行く。が、台湾のダイソーには売ってないんですよね。そこで近所の日用雑貨店に行くと、１０００円くらいの太くて重くてしっかりしたやつが１本だけ。もっと軽くて簡単なやつでいいんだけど、これしか選択肢がないからしょうがない……。気に入らないけど泣く泣く購入。

そしてウェットシートも買おうと、台湾ダイソーへ。いや、売ってるんですけど、私がいつも日本の百均で買う「界面活性剤（↑人体や自然環境に悪影響、という説がある）」が不使用で、かつ「重曹」系のウェットシートが、ないんだな。近所の日用雑貨店に戻っても、やっぱり売ってない。しかたなく、界面活性剤入りのものをひとつだけ買いました。使ってみると、化学的な香料のにおいがきついうえに、ウェットすぎて拭き跡がビッチャビチャ。ふ、不快…。

その後は日本に帰ったときに、私にやさしい重曹系ウェットシートを買ってくるようになりました。

あとは日常生活のこまごましたものですかね。

たとえば延長コードを買おうとしたときも、近所の日用品店には色やデザインや長さの種類が少なく、たいへん事務的で愛想のないものが2〜3種類だけ。それしかないからしかたなく買ったけど、こちらは500円くらいしたと思う。ああ、日本なら延長コードだけでも、色柄長さといろいろ選べてしかも百均で買えるのに。

改めて、日本の消費社会の供給の細やかさには感心……。

と、ここでふと気がついて、私は日用雑貨店に置いてる商品を次々ひっくり返して検分してみました。

少ない。圧倒的に少ない。

何がって、中国製品が、ですよ！

代わりに多いのは国産品、つまり台湾製。

台湾で民進党が与党になり、穏健独立派の蔡英文《ツアイインウエン》さんが総統になってから、対中経済依存を脱却する方向に政策がシフトしている、というのは知っていました。それで台湾政府はここ数年、中国に進出している台湾企業が自国に戻る支援をし、代わりに南アジアや東南アジアとの経済連携を強化。

それが気に入らない中国は台湾に圧力をかけるべく、台湾への個人渡航ビザの発給を停止。それで台湾を訪れる中国人観光客は激減している、と。

その代わりに台湾観光局は、日本や、シンガポール、マレーシアなどからメディアを招待してツアーを開催し、中国以外のアジア諸国からの観光客の誘致に熱心なのです。どうやらいま、観光業界全体が日本人（を含む外国人）にやさしい。

で、当たり前だけど、海外への経済依存からの脱却を目指すということは、外国で安くたくさん作らせて、壊れても簡単に買い換えられる価格帯の製品が、実生活で買いにくくなる、ということなんですよね（**その代わり、内需が潤うという恩恵も間違いなくあるんだけど**）。

日本の百均では、私がいつも買っていた重曹やウェットシートは日本製だったのであまり気にしていませんでしたが、よく見てみると、ほとんどの商品は中国・ベトナム・韓国・インドネシアなどの海外製……。

私は思いました、経済を海外に依存するって、そういうことなんだなぁ、と。知識としては知っていたけど、実感がなかなか伴わなかった。

で、じゃあどうするかって、私は自分が住んでいる台湾を応援したいので、もちろん台湾製を買うわけです。消費者の選択が、実生活にダイレクトに反映されると、「買い物は投票だ」っていう意味がよくわかるなあ、と納得したのでした。

安いからってタクシーに乗ったら隠居がすたる

台湾に引っ越して1か月が経過するころ、やっと都心まで出かけてみようかな、という気になってきました(遅っ)。

台湾は交通費が安い。

初乗りはMRT(地下鉄)が20元(72円)、バスが15元(54円)。しかもMRTは悠遊卡《ヨウヨウカー》(EasyCard)という交通系ICカードを使えば2割引きになるし、バス⇄MRTへの乗り換え時には8元割引になる。低所得でも移動がしやすくて助かります。

そしてタクシーが初乗り70元(252円)！　日本と比べたら安いけど、もう台湾の物価に慣れてくると、相対的に高く感じてしまい、乗る勇気はない。

家から淡水駅まで徒歩20分(しかも坂道)を、54円の交通費をケチってバスにばんばん追い抜かれながら歩いてるくらいですからね。いいんです、私はこれで健康を維持するんだいっ。東京に住んでたときだって、最寄り駅まで20分歩いてたんだいっ。

あと台北市内の、MRTでアクセスがしにくいところなら、YouBikeという公共レンタサイクルがあるので、これを愛用しています。街中にステーションがあるので、どこでも乗り捨てできて超便利。料金体系がいつまで経っても覚えられないんですが、ちょっと乗るくらいだと、返却時に料金が「0元」ということもよくあります。

これで交通費にかけるお金も最低限をキープ。ていうか、いまでも仕事のないときは公共交通機関に乗るのなんて週に一度あるかないかです。

たまに外出すると、逆にいままで歩いて行ける範囲内で生活を満足させることができていたのだとわかって、意外と自信がついたりしますよね。で、ますます台北に出かけなくなる、というわけなのです。

外国人が銀行口座を開設するのは大変である

一般的にいって、銀行口座を開設するのは、本国人よりも外国人のほうがハードルが高いです。

私も移住してすぐ、何はともあれ銀行口座を開設しようと、華南《ホワナン》銀行という大手銀行に行きましたら、「雇用されていないとダメ」と一蹴されてしまいました。さらに「うちと提携している雇用主でなければダメ」と。けっこう厳しいな。

そこで現地の日本人に聞いてみたところ、外国人が銀行口座を開設するのは、基準が年々厳しくなっているが、「兆豊《チャオフォン》国際商業銀行」という銀行が、わりと条件がゆるいとのことで。

パスポートと印鑑、移民局でもらってきた中華民国統一証号（台湾のIDナンバー）、そして念のため台湾のアパートの契約書とか、日本の個人番号通知カード、運転免許証、開設に役立ちそうなものがあればとにかくぜんぶ持っていき、無事に開設することができました。

しかしこの銀行、ちょうど２０１６年に犯罪組織によるマネーロンダリングが問題に。経営が傾き、税金で救済したもんだから台湾人も怒ってるらしい。どうりで口座開設したときはガラガラでした。

そんなわけで２０１６年から、外国人の銀行口座開設がさらに厳しくなってしまいましたとさ。

２０１９年にはもっと厳しくなり、突然銀行口座からお金が引き出せなくなったので、電話したら「期限切れ」。なんじゃそりゃ。そのときも直接銀行まで行きました。

ルールが変わったそうで、日本の個人番号通知カードを登録して再度口座を使えるようにしてもらいましたが。

現在は、郵便局のほうが若干開設がしやすいという話を聞いたことがありますが、ビザなし観光で台湾を訪れて口座を開設できるか、これればかりはわかりません。

いつまたルールが改定され、私の銀行口座が使えなくなるか、**毎日がいらんスリル満点です。**

4 気候と衣服について

日本の夏服でとりあえずOK

移住するときに迷うのが服装です。

何をどのくらい持っていけばよいのか、という量的な問題もさることながら、服装の文化的な違いも気になる。日本ではふつうでも、海外で浮いてしまうのはめんどくさい。

結論からいうと、日本でふつうに着ていた服を、そのまま着ていけます。量としては、東京で隠居していたときのクローゼットから、冬服を引いた感じでOKでした。

つまり、白無地Tシャツ5～6枚、短パン2枚、黒のカラーパンツ2本、フランネルの長袖シャツが2枚、フードつきのパーカーが2枚。そしてたまに、東京でいうと温かめの冬の日くらいの気温になることがあるので、コートを1枚持っておくとよいです。足元はだいたいビーチサンダルですが、動きやすいスポーツ用サンダルと、ジョギング用スニーカー、ムートンブーツも1足ずつ持ってます。

全体としては、服の量は少し減った感じです。ちなみに和服は台湾では着ないので処分しました。

真夏をサバイバルする

7月、台湾で迎える初めての真夏。この時期、人々の行動基準でもっとも優先されるのは「暑すぎて死なないこと」である。

私は東京に住んでいたとき、冷暖房を一切使わない生活をしていましたが、命あっての物種。そんなポリシーなんて、殺人的猛暑の前では何の意味もない！

とにかく通気性なんか1ミリも考慮されてない安アパートですから、窓を全開にしても風が動かざること独房のごとし。滝のような汗が止まらない。備え付けの冷房は、ONにすると、耳をつんざくほどのゴォーっという爆音。ったく、これだから安アパートは……。また台湾の電気料金は夏に値上げするのでなるべく使いたくない。かといってお店に行こうにも、食堂には長居しにくい。さあどうする!?

てなわけで、私が真夏の日中を過ごすのは、大学図書館、チェーン店（マクドナルドやサブウェイなど）、コンビニ、そして近所のWi-Fiと電源のあるカフェ、です。何のことはない、南国ではどこに行っても冷房が効いてるので、それを利用させてもらうのです。

大学図書館は、前述のように学生でなくても入れるので、真夏は入り浸り状態。私のほかにも、近所のおっさんやおばはんが、よく涼みに来ています。

そして無料で何時間でも滞在できる。電源もあるので、たまにノートパソコンを持ち込んで仕事もしてます。

真夏はどうしても、食堂よりファストフードのチェーン店に行きがちです。ごはんを食べ終わっても長居しやすい。サブウェイなら、素食沙拉《スウシーサーラー》（ベジタリアンサラダ。けっこう大皿)109元もありますし、野菜も食べられてうれしいです。

コンビニでもサラダや冷麺を買うこともあるので、その際は必ずパソコンや本を持ち込んで、食べるついでに2~3時間は読書や仕事をします。台湾のコンビニにはだいたいイートインスペースがあり、なかには電源が使える店もあるので重宝してます。

そして贅沢を許すときは近所のカフェへ。といってもタピオカミルクティーが45元とかですけどね。カフェなのでもちろん長居OK。

そして日が暮れるころ、スーパーや市場で買い物をして帰ります。

帰宅次第、一糸まとわぬ状態に。日が暮れても、部屋が暑くて服なんて着てられませんから。


真夏の夜だけは、自宅の冷房をつけて寝ます。

ところがうるさくて眠れないんだ、これが。それでよく見たら、「冷房」「送風」「乾燥」と機能が分かれています。

ためしに「乾燥」モードにしてみたら、ちょっと乾燥(爆音)させたのち、しばらく停止(無音)。また乾燥(爆音)させちゃあしばらく停止(無音)。

「乾燥」モードだと、動いてる時間が少ない……!

それに部屋の湿度が低くてサラッとしてると、温度が高めでもそんなに気にならない。あとは無音のうちにイヤホンを耳に突っ込んで、スマホでラジオを聞きながら寝てみたら、ぜんぜん気にならずにぐっすりでした。

と、このように、**私が台湾に住んでいていちばん外出するのは真夏です。たまに、外に出すぎてストレスで発狂しそうになることがあるので、そんなときはしかたなく冷房をつけてひきこもりますが。**

カフェやコンビニがゆるい

台湾のカフェやコンビニはゆるいです。

私がよく行くカフェは、一応屋内なんですけど入口の扉がないタイプのオープンカフェ。テラスよりも涼しい店内席に座り、真夏に限らずよくそこで仕事や読書、映画鑑賞をしています。

あるとき、何か茶色いものが視界に入ってきて、私の座っているテーブルの横で動かなくなりました。ふと見ると、茶色い中型犬が伏せっています。「ボクはこの人に飼われてるんで」みたいな何食わぬ顔で。首輪をしているので、その近辺に住んでる犬だと思うのですが、放し飼いです。

で、通路に伏せているので通行の邪魔なのにもかかわらず、店員や客が誰一人犬を追い出そうとしないのがウケる。顔は凶悪だけど意外とおとなしくてかわいいので、たまに撫でたりしていたら、テラス席の客が弁当の骨付き肉の骨を放ったのを見て、ロケットのように外に飛び出して行きました。ちなみにそのカフェでは弁当は販売していないので、明らかに外からの持ち込みです。店員も「持ち込むよね〜」みたいな感じでゆるゆる。

またあるとき、近所のコンビニのイートインスペースでは、床に茶色い頭陀袋が落ちてるのかと思ったら犬だった、なんてこともありました。やっぱり誰も追い出そうとしない。

台湾は、犬も暮らしやすいのかもしれません。

＊　＊　＊

台湾北部の気候

私の住んでいる淡水は台湾の北部で、亜熱帯気候に分類されます。

日本と同じように四季もありますが、夏がより長く、より暑い。

体感としては、以下のようなイメージです。

台湾の3〜4月　↓日本の4〜5月。過ごしやすい
台湾の5月　↓日本の梅雨
台湾の6〜9月　↓酷暑。たまに命の危機を感じるほど暑い
台湾の10〜11月　↓日本の9〜10月。過ごしやすい
台湾の12〜2月　↓日本の秋、たまに冬

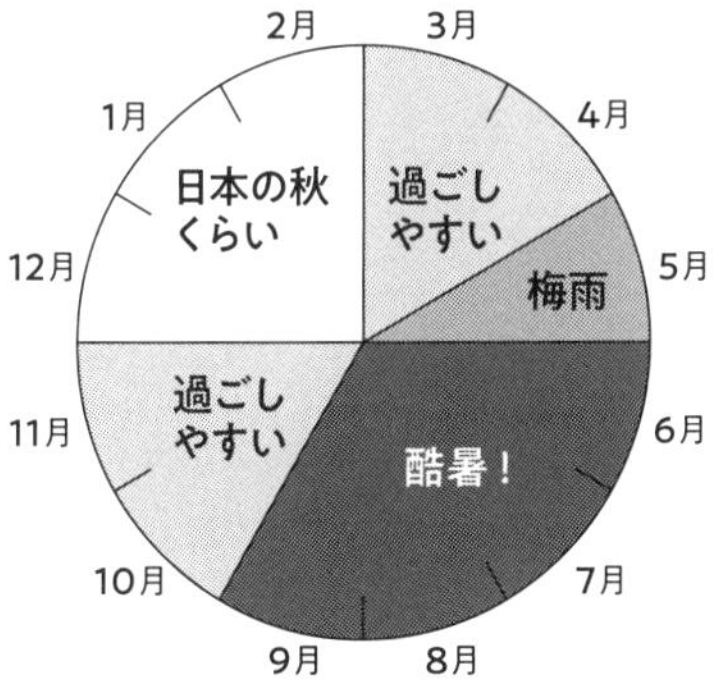

台湾版GU「NET」で定番モノを揃える

台湾は暑いので汗をかく、服をガンガン洗う。すると消耗がどうしても早い。私の場合は、襟首の部分からほつれてきます。

いつも着てる定番モノの服を、安く簡単に揃えられる方法を探さなければ。

大きな夜市に行くと、プチプラファッション大集合なんですが、やはり安物は色柄過剰というのは全世界共通なのでしょうか。私好みの、地味で目立たずインスタ映えしない没個性コーデができないっ！

定番の白無地Tシャツでいえば間違いないユニクロや無印良品は、台湾にもあるにはあるが、日本で買うより高いんですよね〜。

そこでたまに行くのが「NET」というお店。台湾のガイドブックでも、ご当地プチプチブランドとして紹介されている。店舗数も圧倒的に多い。

ここは、日本でいうとユニクロ……いやもう少し若めで、GUとH&Mを足したような感じの台湾ブランド。シンプルでカジュアルな定番モノが必ずあって、さらに季節モノはシーズン後半にいくとどんどん安くなる。白無地Tシャツなら9月以降に買いだめしておくとよいです。

私はバックパックもNETで買います。夏が終わるころになると、ショルダーストラップが汗を吸ってにおい始めるので…。南国では、カバンも消耗品。高価なものは避け、ポケットがいっぱいついたデザインの黒いやつを、毎年夏が過ぎたときに買い替えてます。いま使っているものは、セールで699元(約2517円)でした。

シューズ類も売ってますが、私の定番ビーチサンダルは、近所の生活用品店のほうが安いので、そちらで買うことが多いかな。

日本では着る機会のない、超夏服ファッション

台湾は、日本よりも服装に対してストレスがないと思う。基本的に涼しいカジュアルスタイル一択だからです。

暑すぎると、もうおしゃれとかどうでもいいんですよね。人間の尊厳が保てる程度に布をまとってりゃなんでもOK！（言い過ぎか…？）

だから台湾では街の中心部でも高価なブランド服を着ている人はあまり見かけません。暑いので汗をかくし、手入れも大変だからです。経済活動が気候にボロ負けしててウケる。私も基本的にいつもカジュアルな夏服。Tシャツに短パン、足元はビーチサンダルです。

さて、台湾には夏服のほかに、超夏服というファッションがあります（隠居調べ）。

よく見かける台湾男子の超夏服は、横から乳首が見えかねないほど脇が大きく開いた、風通しのよさそうなタンクトップ。そして、マラソンに行くんですかっていうくらい丈の短いショートパンツ。いや、いいんですよ、台湾男子は体を鍛えてる人が多いから。それなりの肉体があれば何を着ても似合う。

でも私は長身痩躯の貧困層体型なので、絶対にみすぼらしく見えてしまう……。そんなものをお見せしてはいけないので、日本のふつうの夏服で大丈夫です。

とか恥じらっていたのに、台湾で初めて迎える酷暑の季節。私はタンクトップに超短ランニングパンツでどこにでも出かけていました。恥じらいなんて夜市の側溝に捨てた。ネズミにでも食わしとけ。**この国の真夏は厳しいのだ。恥じらっていたら死んでしまう。**

タンクトップや短パンは夜市で、１枚１００元（３６０円）くらいで買ったり、人からもらうことが多いです。汗をかくのでガンガン洗うため、間違っても高価なものは買いません。私が去年買った蛍光色の短パン（×４枚）のうち、すでに２枚はポケットのジッパーが壊れました。でも安いので気にしません。

下着もソングという真夏仕様で

ソング(thong)というのは、Ｔバックのこと。Ｔバックは和製英語です。男性用Ｔバックなどと聞くと、変態的なイメージがある方もおられると思うので、イメージ刷新のために英語風に書いてみました。ソングよりもっと布面積の少ない、もはやヒモのような下着をGストリングと呼び分けることもあります。
で、このソングが、実際はいてみると、酷暑にはむちゃくちゃ機能的なんですよ！
しばらくはいてみて、私が思うソングの優秀なところを挙げてみます。

①暑くない
これは言わずもがなですが、尻を布で覆わないので、夏でも蒸れずに快適です。

②かさばらない、軽い
小さく丸まるのでタンスの中でも場所をとらないし、下着のなかでは一番軽いので、旅行に持っていくにもよいです。

③すぐ乾く
布の面積が少ないので、洗濯しても乾きが早い。ということは旅行先でも、寝る前にホテルで洗って室内に干しておけば翌朝には乾いてます。ラク！

④動きやすい
その他、筋肉を圧迫せず動きやすいのでスポーツ選手などに愛用されているという話も聞きますが、スポーツ選手の知り合いがいないし、私は激しい運動はあまりしないので、これについてはよくわかりません……。

逆に短所と思われるところもあります。

①どこに売ってるかわからない

一般的な衣料品店ではほとんど見かけません。私は通販で買うことが多いです。

②汚れやすい

形状的にしかたないのですが、バックストリングが汚れやすいです。ヒモみたいに細いやつだと不快なので、なるべくここの幅が広めのものを選ぶようにはしていますが……、未解決。

③人目が気になる

まだまだ一般的なチョイスでないのは自覚しているので、なるべく人の視線を集めないように単色の、地味なデザインのものばかり持っています。でもやっぱり温泉とか、人前で着替える必要がある場所にははいていく気になれず。

④寒い

夏涼しいということは、冬は寒いのではきません。

ところで、私がソングをはくようになったきっかけは、お笑い芸人のカズレーザーさんでした。

以前、川辺で野草を食べるというテレビの企画に出演させていただいたときのこと（**私は東京で隠居していたとき、多摩川沿いで野草を摘んできておかずにしていました**）。上から下まで装いが真っ赤なので、出来心で「どんなパンツはいてるんですか？」とセクハラまがいの質問をしたところ、「赤いTバックです！」と親切に即レスしてくださいました。

そのときは、「やっぱり期待を超えてくるな〜。Tバックでどんな感じなんだろ」と思ったまま忘れていたのですが、台湾でふと思い出し、使ってみたらめちゃくちゃ快適だったのです。

というわけで、これからも台湾に暮らし続ける限り、夏の下着はソング一択です。

ちなみに、ソングが台湾男子の間で一般的かどうかは残念ながらわかりません。見知らぬ台湾男子に、いきなり「どんなパンツはいてるんですか？」とかどのツラさげて聞けばよいのか…。

日本と同様、店頭で売ってるのはあまり見ないので、たぶん一般的じゃないと思うけど、誰か知ってたら教えてください。

気候と国民性の関係

台湾人は気分屋で、先の予定を立てるのが苦手、という説があります。私の周りを見渡してみると、んーと、そもそもサンプルとして説得力のある数の友人がいないので、何とも言えません。

しかし、そこに住む人(ていうか私)の性質は、気候によってかなり左右される、ということは実感します。

というのも、台湾は雨が多いうえに天気が激しく変わりやすく、雲ひとつないピーカン天気だったかと思えば、一気に曇って土砂降り、そしてまたからりと晴れる、といったことがしょっちゅうだからです。

そんな土地で暮らすとどうなるでしょうか。

1週間後の予定なんて、立てる気にもならないんですよね。

約束をしても、当日大雨になるかもしれないし、外に出るのが億劫なくらいの猛暑かもしれない。だからそのときになったら聞いてくれる？　となる。よって、予定を立てるのが先すぎると、当日忘れてしまう、という自然現象が発生するわけなのです。

そこへ別の友人からの誘いがあれば、行っちゃいますよね〜。悪気はまったくないんです。


ところで、私の台湾人の友人たちは約束も時間もキッチリ守る人が多い。むしろ私のほうが時間に厳しい国から解放された反動なのか、南国時間でルーズになって遅刻するので、台湾人に許されながら生きています。ほんとすいません。

初めての台風

ある朝、すごい音で目が覚めた。なんだろうと思って窓を開けると、暴風雨すぎて雨が下から上に降っている。台風直撃だ〜!!

向かいのアパートのつる系観葉植物が、風でひきちぎられんばかり。外に一歩も出られないことが決定したので、家にひきこもる。

ヒマなので、玄関を出て、階段に座って、外を見ながら一服。雨のにおいと混ざるのが好きなんです。

楽しくなってきて、ちょっと階段を下りて、往来を見ながらタバコを吸おうかと思ったら、階段の半分ぐらいまでずぶ濡れだった。

この台風に傘で外出して帰ってきたあほな台湾人と、目が合った。「あはは」「あはは」と笑いあう。笑うって何語？　言語を超えてるね。なんだろう、あのときのほんわかした感じは。

夜、台風の影響で断水。

私は家で食べたりするので食材がある程度あるけど、外食メインでしかも計画性のない台湾人は、こういうときどうすんの？　と気になって、夜、雨の止み間にちょっとセブンに行ってみたら、食材なんもなかった。

コーヒーとタバコと、ちょうど配達されてきた手巻き寿司みたいなのを買って、女性店員さんに「Thanks for working today(今日働いててくれてありがとう)」って言ってみたけど、「はぁ?・」みたいな感じだった。

第2章

5 食事は外食か、自炊か

はじめは知ってるものだけで食生活を組み立てる

移住したばかりのころは、食についても、はじめから冒険はしないことにしました。見たことのない台湾スイーツや、注文の仕方がよくわかんないお店や、活気のある市場に怖気づき、なるべくスルー。

とはいえアパートにはキッチンがなく、自炊するなら何かしらの工夫が必要になるため、とりあえず外食で食生活を組み立てることになるんですが、学生街の食堂というのは、いかんせん内容が若者向け。炭水化物多め、肉多め、野菜ほんのちょびっと。

この状況で、私の胃袋にちょうどよい、かつ家から近い食堂の発見が、私のライフラインを支えます。

台湾のお店の営業時間は短く(とくに屋台)、朝だけ、昼だけ、夜だけ、などというお店もたくさんある。さらに休業日に当たることも考えると、最低3店舗、できればご飯系、麺系、その他と各ジャンルで確保しておきたいもの。

まずは引っ越してすぐ、私のアパートのある通りに、素食《スウシー》(台湾の精進料理)のお弁当屋さん(50元)を見つけました。

このお店は常時10種類くらいのおかずが店頭のショウケースに常備してあり、食べたいものを指差せばOKなので、中国語のわからない私でも注文できました。野菜も、キャベツにもやしになすににんじん、たんぱく質では豆腐とか湯葉とか大豆肉。知ってるもの、味の想像がつくものがたくさんある。うれしい! ストレスない!

ある日のメニューは、こんな感じです。

細切りさつまいもの天ぷら、えのきの天ぷら、豆腐とパプリカ炒め、もやし炒め、メンマ、の5種類+白ご飯。

私のお気に入りは天ぷらで、なかでもえのきの天ぷら(鹹酥菇《シエンスウグウ》)がめちゃウマです。サクサクで歯ごたえがあって、塩コショウのかげんもちょうどいい。いまでも精進料理のお弁当屋さんでときどき見かけると必ず食べます。

ここは家族経営で、奥さんのほうが具を多めによそってくれるので、旦那さんが店番してるときはスルーすることもありました。

このお弁当屋さんは、店内に観音菩薩様がお祀りしてあって、信心深さがうかがえま

第2章

す。神棚には千手観音のブロマイド。岩塩ランプで灯明をともし、白い陶器のお皿、その下にお経が貼ってある。本もたくさん置いてある。『習禅散記』『仏法 - 解脱的原理與行法』『中国家訓』『妙法蓮華経』などなど。近隣のお寺の瞑想会のお知らせなんかも置いてある。それなのに、かなりゆる〜い雰囲気なので、独特の排他的な感じがなく、入りにくいということはまったくありませんでした。

あ、でもひとつだけわかりにくかったのが、値段。「50元」と書いてあるんだけど、日によって50元のときと60元のときがありました。なんでだろう？と思ってたら後日、おかずを6種類選ぶと60元、というだけの話だったことが判明……。5種類だと50元なんですって。台湾人のことだから、気分で値段が違うんだろうと思ってました。老闆娘《ラオバンニャン》、対《ドウイ》不起《ブチー》**！（おばちゃん、ごめんね！）**

次に「八方雲集《バーファンユンジー》」の餃子（当時1個5元、2020年現在は5・5元）。これは台湾ならそこいらじゅうで見かける有名全国餃子チェーンです。台湾の餃子は長方形で、日本と比べて皮が厚く、単体で食べ応えがあるので白いご飯はいらない感じです。というか、中華圏ではふつう、餃子にご飯は合わせません。あんも野菜がたくさん入ってて、隠居の胃袋にやさしいです。私は1回の注文で、ふつうの餃子を8個注文します。ベジタリアン餃子が出てからは、もっぱらそれを食べてます。

ちなみに台湾では焼き餃子は鍋貼《グオティエ》と呼びます。鍋に貼りつけるようにして焼いてるんだろうな～、と想像がつく名前ですよね。

注文方法も、店頭にある注文票に自分で記入して店員さんに渡すだけ。超簡単です。

そして近所の餃子屋の酸辣湯麺《スアンラータンミエン》（50元）。

汁麺系のおいしいお店も確保しておきたいですよね。台湾のお店は、看板料理はおいしいけどそれ以外はイマイチ、という場合も多く、外し打ちすると悲しいので、お店ごとにお気に入りを見つけたらそれを定番にします。ここは店名の通り餃子（水餃子）や、青菜《チンツアイ》絲肉麺《スーロウミエン》、炸醤麺《ヂャージャンミエン》もありますが、私は酸辣湯麺がいちばんおいしいと思う。

台湾の酸辣湯麺は、猪血《ヂューシユエ》といって、ブタの血を蒸して固めたゼリーのようなものが入ってる場合がありますが、ここのは動物系の食材が一切入っていないのでお気に入りです。

台湾ではふつう、酸辣湯は餃子と合わせるんですが、一人ではスープを飲みきれないので、ここでは酸辣湯麺しか食べません。

あとは旧正月など、お店が軒並み休業するときの救世主として、コンビニの冷麺系（50

元くらい〜）が充実していておいしいです。冷麺といっても日本の冷やし中華もあるし、韓国風、台湾風と選べて楽しい。ただし、台湾では食に限らず外来のものは値段が高いです。

なので私がいつも買うのはゴマダレと千切り生野菜の台湾涼麺《タイワンリャンミエン》（45元）です。

と、このように、日本でもおなじみのものばかり食べていました。

そしてスーパーで買うのは、家で火を使わずに食べられるもの。南国フルーツ（バナナ、パイナップル、マンゴーなど）を筆頭に、シリアルやヨーグルト、パン、インスタント麺などです。

新しい生活に慣れるまでは、これらをヘビロテしていました。いや、よく考えたら慣れてからもヘビロテしてます……。

オーガニックや、なるべく環境に負担のないものを、という生活のアップデートは、慣れてからゆっくり追求すればよいと思います。

台湾はベジタリアン先進国

台湾のベジタリアンは全人口の10〜13％で、世界でもインド（約30％）に次いで菜食主義人口が多いといわれます。

　素食は、もともと不殺生の戒律を守らなければいけない仏教・道教徒のため、宗教上の理由で工夫された料理ではありますが、現在では健康にもよいとして、広く一般に食べられています。単純に「動物性食品を使っていない」ということだけでなく、五葷《ごくん》と呼ばれる香りや刺激の強い野菜（ネギ、ニラ、ニンニク、ラッキョウ、ノビル。諸説あり）も一切使いません。これらの野菜はそれぞれ五臓に負担をかけるほか、落ち込みやすくなったり欲が増したりと、精神的にも影響があるとされています。


　この素食がどのくらい浸透しているかというと、日常レベルで街中にあります。たとえば駅弁や夜市といったごくごく庶民的な店でも、必ず見つかる。

　日本だと、ヴィーガンは「一部の極端な思想の人がやってるだけ」というイメージがあるかもしれませんが、台湾素食は「和食、イタリアン、インド料理」などと同列に、ただの1ジャンルとして認識されている感じです。ヴィーガンじゃないけど、消化にいいから朝だけ素食を食べる人もいるし、私のような、体質的に肉を食べないほうが調子がいいから、という宗教と関係ない人にもうれしい。なにより、日本で「肉食べないんで」と言ったときの、「あ〜、そっち系ね」みたいなプチ変人扱いの視線がないのが快適です。

さらにハラルにも対応しているので、インドネシア人などのムスリム移民にとってもうれしいですよね。

また、精進料理というと特別で高価なイメージがあるかもしれませんが（もちろん高級素食もあるけど）、台湾では一般的な食材が精進料理仕様になっていることも多いです。たとえばカレールウやめんつゆなどの調味料、スナック菓子、スイーツに至るまでバラエティ豊かで、しかも価格帯が変わらない。ベジタリアンであるだけで余計な食費や労力がかからないというのは、台湾に暮らす利点だと思います。

食の充実と健康の維持を両立させたい

1か月も経つと、とりあえずの食事ルーティーンもできてきました。

朝はフルーツとヨーグルト＋シリアル。昼は外食、夜はパン、という感じです。

家の近所、半径500m圏内で「命の維持」ができるようになったら、次は「健康の維持」へと、食生活をアップグレードしたいもの。

というのも、この食事ルーティーンだと、ちょっと気を抜くとすぐに野菜不足に陥り、尾籠な話ですみませんが、うんこがコロッコロになって、体が重くて不快極まりないのです。

とはいえ、前述のように、アパートにキッチンがないため、ただちに改善しやすいのは一日一度の外食の内容。そして出不精なので、外出そのものをできれば一日一度にとどめたい。


台湾は外食文化。安くてウマい！

といっても、舶来のジャンルとか、ちょっとおしゃれなレストランになると、途端に200元(720円)を超えてきます。漫然と外食していたら東京で隠居生活をしていたころよりも食費がかかってしまう。意外とあんまり安くないぞ。

いや、東京で平均的な生活水準を保っている方にはそれでも安いのかもしれないが、私、一日の食費300円で無農薬玄米菜食をやりくりしてたんです。台湾で外食破産とか、笑えない……。


まずは、野菜を摂取できる一日一度のチャンス「外食」を充実させよう！ ということで、より野菜を摂取できて、安価でおいしい外食探訪が始まりました。

私が一日一度の外食に求めるものをまとめてみると、

＊家で野菜がなかなかとれないので、外食では野菜をたくさん食べる。
＊眠くなるので、炭水化物は少なめに。
＊１００元（３６０円）以下で食べられるもの。

となると、必然的に台湾料理、ということになります。なぜかというと、台湾では台湾の料理がいちばん安くてウマイから。

隠居が選んだ外食のあれこれ

❖潤餅——野菜がたくさん摂取できる神B級グルメ

近所でいろいろと探した結果、「潤餅《ルンビン》」という屋台フードがいまのところコスパ最強。温野菜（もやし、にんじん、キャベツ）、菜脯《ツァイプー》（大根の漬物）、パクチー、ピーナッツの粉と、豆干《ドウガン》（豆腐をプレスして固くしたもの。押し豆腐）なんかをドカ盛りにし、薄い小麦粉の生地で巻いた、温野菜春巻のような料理。温野菜っていうのがポイントです。体を冷やしません。50元程度で買えて、栄養バランスもよく、夜市なんかに行くとだいたいどこにでも売ってますね。炭水化物も少なめだし、ウチの近所にあるのは素食の潤餅なので、さらにうれしい。

潤餅は「小吃《シャオチー》」と呼ばれるジャンルで、きちんとした食事というよりも、B級グルメやおやつ的な位置づけなんですが、これが老いた隠居の胃袋にジャストフィット。これから小吃は隠居の主食として活躍してくれそうです。

❖素食便當――少食なので2段階で弁当をやっつける

素食便當《ビエンダン》(弁当)もよいのですが、デフォルトで白いご飯(ザ・炭水化物)がついてくる。そして、量が多くて一度に食べきれない(**いえ、大盛りではなく普通盛りなんですが、少食なのでそれでも無理…**)。でも、まだ食べられるものを、絶対に捨てたくない。

なので私がよくやっているのは、まず白飯の上に載っている野菜のおかずだけを食べる。残ったご飯は冷蔵庫に保存。そして夜、お茶漬けにするという2段階戦法。ハァハァ……これでやっと食べ切れた。

❖自助餐――好きなものを好きな量だけ

しかしどうしても、一粒も炭水化物が食べたくないときもある。

そんなときに発見したのが、「自助餐《ツーヂューツアン》」。好きなものを好きなだけ盛って、値段は重さで決まるというバイキング式食堂です。煮る焼く蒸す揚げる、とそれぞれに調理された野菜がたくさん選べて、肉や魚は食べられなくても、豆腐系のおかずもだいたい必ずあるから大丈夫。そして白飯は不要《ブーヤオ》！　これで隠居の胃袋にうれしい、肉と白米なし・植物性のおかずだけ弁当のできあがりです。セルフで持ち帰りの弁当箱に7割くらい詰めて、50〜70元くらい。わーい。

たまに素食の自助餐もあって、最高です。最近行ったときは、天ぷら（**えのきなど数種類**）・青菜炒め・もやしときくらげ炒め・ハッシュドポテト・キャベツの蒸し煮・湯葉のあんかけ・菜脯。これで70元（252円）でした。

❖コンビニサラダ——野菜不足の応急処置

それでも野菜不足になってしまったときは、応急処置としてコンビニの生野菜サラダ（55元程度。約200円）を食べます。選べるドレッシングがひとつ無料でついてくるよ。

コンビニのサラダなら、そのときに食べなくても、出かけたついでに買って、冷蔵庫に入れておけば、あとで温める必要もなく、外出しなくても野菜にありつける。出不精の私には、ありがたい救世主です。

❖茶葉蛋——いつでもどこでも台湾煮卵

サラダをコンビニで買うときは、「茶葉蛋《チャーイエダン》」という台湾煮卵をつけるのがお気に入り。台湾のコンビニに入ると、独特の香辛料の香りが漂ってますが、その香りの発生源がこれです。

「茶葉蛋」は、台湾のコンビニならばどこにでも売っていて、だいたい入口付近のホットスナックコーナーに置いてます。電気鍋の中、どす黒い液体に浸かっている卵がそれ。食べたい分をトングで備え付けのビニール袋に入れて、レジに持っていくだけです。1個10元（36円）くらい。

卵の殻にヒビを入れて、醤油と茶葉と香辛料で煮込んだもので、ひび割れたところから味がしみ込んでいくので、せっかくなら割れているものを選びましょう。

私は手を汚さないために、買ったときに入れたビニール袋の中でつるつると殻をむき、サラダにＯＮ！

これで不足しがちなたんぱく質もとれるっていう作戦です。

サラダにも合うし、素食弁当にたんぱく質をプラスしたいときや、カップ麺に入れてもちょっと豪華になります。もちろんそのまま食べても。

まあ、コンビニフードを日常食に、っていうのも抵抗ありますが、台湾隠居生活はまだ始まったばかり。それは今後の課題ということで。

台湾の水道水は飲料に適しているか

誰の生活にも欠かせないのが飲料水です。

世界一周経験者からすると、日本のように、水道をひねればそのまま飲める水が出てくるというのは、世界でも稀なこと。中国人が、「日本の水道水は母国で売れる」と言ってるのを、どこかで聞いたことがある。それくらい、もうガブガブ飲める。

イギリスなんかは、まあ飲めないことはないんだけど、石灰や不純物をろ過するために、浄水器を使う人も多い。

それくらいならまだいいほうで、インドで水道水なんか飲んだ日にゃあ、赤痢だなんだと、お腹こわしますから。

海外では、生活必需品である「飲める水」がデフォルトでついてこない国もたくさんある。そして格差も日本の比ではない。ミネラルウォーターを買わなければいけないとなると、低所得者（＝私）が困るんです。飲料水だけは、インフラとして整備してほしい……。

さて、そこで台湾です。

水道管が古くて水が茶色い、という恐ろしい話も聞きますが、私のアパートではそんなことはありませんでした**(部屋の内覧時に確認済み)**。

なので、入居してからは、念のためブリタの浄水ボトルでろ過したあと、電気ケトルで煮沸したものを飲むようにしています。

外では、MRTの各駅や、大きな公園には飲料水のディスペンサーがあるし、図書館や郵便局などの公共施設にも、誰でも飲める給水機があります。

浄水器とフィルターが日本で買うよりも高いので、もしフルタイムで会社勤めをしていて家にあまりいないのなら、水筒を持ち歩くだけでも飲料水には困らなそうです。

初めての夜市

台湾といえば夜市ですよね！　おそらく観光旅行で台湾に来た人が、初日に必ず行く場所ですよね！

しかし私が家からいちばん近くて有名な士林夜市を訪れたとき、すでに引っ越してから1か月以上が経過していました……。

前にも書いたけど、観光にそんなに興味ないいんですよね。

それにもう30歳過ぎたら、行ったことのない場所に行くのってストレスしかないんですよ。知ってる人についていかないと勝手がわからないんですよ。にぎやかな場所って、腹の底から声を張り上げないと声が届かなくて存在に気づいてもらえなくて注文もできないんですよ。ヤダ怖い！

そんなわけで声帯と性欲が枯れ果てた隠居の私は、夜市という超メジャー観光地に恐れおののき、決して近寄ることはなかったのでした。

初めて士林夜市に行くことを決心したのは、秋も深まる11月。友人が台北に遊びに来るという連絡をくれ、「じゃあ現地在住のこの私が士林夜市を案内してあげよう」とドヤ顔でLINEを返したときのこと。

あれ？　よく考えたら夜市なんて行ったことないぞ……？

しかたなく、友人を案内するために、どんなもんか下見に行くことにしたのでした。

そして私は初めてMRT剣潭《ジエンタン》駅へ降り立ち、雑踏をくぐり抜け、士林市場地下1階にある美食区へ繰り出し、あまりの店と人の多さにフラフラして、気がついたらイケメンの呼子に案内されるまま着席し、イケメンを観察しながら青菜麺を食べ、イケメンにお金を払い、満足して帰りました。美食区以外見るのを忘れて。

30過ぎたらイケメンを見てるだけで性欲が満ちるなんて効率がいいなぁと、お腹も心も満たされて帰りましたので、本来の目的がまったく果たせませんでした。

1か月以上も住んでてこの体たらく……。先が思いやられる。

キッチンなくても意地でも自炊

台湾は外食文化でキッチンがないアパートが多い、というのは前述の通りです。安くて美味いもんが外にあるんだから、わざわざ数人前を家でちまちま作るのは合理的でない、という考え方なんですね。

しかし、もうこの歳になると(**って最近何でも歳のせいにするのがまた年寄りっぽいんだけど**)、外食への対応力がどうもなくなってきてしまい……。

ああ、わざわざ外に出て他人とコミュニケーションをとることなく、自分の胃袋にちょうどいいものを、ちょうどいい味付けで、ちょうどいい分量だけ、ちょうどいい時間に食べたい!

そこで、火も電気も使わずに、家で作れるレシピを考案しました。

それはサラダです！　って、高らかに宣言するほどのものでもないんですが。

私はサラダって、東京に住んでたときはほとんど作ったことがなかった。洗ったあとに水を切ったりするのがめんどうだし、材料も多いので使いきれなかったら無駄になってしまう、と作る前から尻込みしていたのです。

しかしよく考えたら台湾にはどこにでも市場がたくさんあって、基本量り売りなので、小さな野菜でも1個から買えるんですよ。これは使わない手はない！

でもやっぱり手間はかけたくない。

ということで、手を抜きまくりのズボラなサラダ、略してズボラダを作ることにしました。

ズボラポイントとしては、
＊食器が汚れるので肉類は一切使わない
＊ＩＫＥＡのオシャレなカッティングボードをまないた兼お皿として使用
＊洗いと水切りが簡単で、生で食べられる野菜だけを3種類ほど使う（**きゅうり、トマト、たまねぎが定番。てきとうに切って、余ったらタッパーに入れておく**）

＊食感に変化をつけるため、季節のフルーツとナッツを1種類ずつ
＊一番下に、たんぱく源として有機豆腐を敷く
＊ドレッシングは高価なので、オリーブオイル、酢、塩コショウでてきとうに自作（口の広いペットボトルに材料をぶち込んで保存。使う前にシャカシャカ振るだけ）

これだとその日の食欲に合わせて量や味付けを調整でき、しかも野菜・フルーツ・ナッツ・豆腐と食感がたくさんあって飽きないので、たいへん気に入ってます。ヴィーガン仕様ではなくなりますが、お好みでコンビニの台湾煮卵・茶葉蛋をつけてもグー。

そしてズボラたるもの、ズボラダで余った食材でもう一品いきたいところですよね。服が着回せるなら、食材だって使い回せる！

というわけで夜は、余った野菜をパンにはさんでサンドイッチに。味付けは素肉《スウロウ》という大豆肉の缶詰と、ケチャップ＋塩コショウで味を調えるだけ。大豆肉の缶詰は日本ではほとんど見かけないので、代用するならツナ缶とかハムがいいかな〜。

こうして、せっかく外食天国の台湾に住んでいるのに、ますます外食をしなくなっていくのであった……。

＊　＊　＊

有機食材はここで買ってます

食材を買いに行くのは、主に近所の市場。でも、海外一人暮らし。何をおいても健康は大切にしたい。そこで、台北市内で私がよくオーガニック食材を買いに行く市場やスーパーを紹介します。

①希望広場《シーワングワンチャン》と花博農民市集《ホワボーノンミンシージー》

毎週末、台湾各地から台北へ生産者さんたちが大集合するファーマーズ・マーケット。台湾ではこの10年ほどで、食に対する安全意識が急激に高まっています。ここに出店しているのは、台北市政府によって品質・安全性を認定された優良生産者のみ。地元民にも大人気です。屋根があるので雨でも濡れずに買い物できるのもポイント高い。

「希望広場」は、台北駅からひと駅という便利さもあって、観光客も多いですが、私が比較的よく行くのは「花博農民市集」。こちらはＭＲＴ圓山《ユエンシャン》駅に隣接していて、私が住む淡水にも近いです。

到着したら、まずは旬のフルーツを生絞りしたジュースを買います。それを片手にぐるりと一周しつつ、何を買おうか品定め。

よく買うのは、なんといっても季節のフルーツ。そしてズボラダ用の生野菜。最後に乾麺や、調味料、コーヒー・紅茶など、おみやげにしたいもの。

仲介業者が入っていないので、うまくすればスーパーと同じ価格帯でオーガニック食材を買えるし、なにより、スーパーの一般流通に乗らない小規模な生産者さんを直接応援できるのがうれしい。

私は一度気に入ると同じものを買い続ける習性があるのですが、毎週ブースの場所が変わるので、農家の人に「先週も買ってくれたでしょ？」とか言われて、私のほうが覚えていない、ということもあります。覚えられて常連気分の隠居……。

② 天和鮮物《テイエンフーシエンウー》

ファーマーズ・マーケットでは見つかりにくいのが加工食材や、日用品。私は「希望市場」のすぐ近くにある、こちらの店で買うことが多いです。ただし、何でもここで揃えようとするとむちゃくちゃ高くつく。

なのでここで買うのは、オーガニックのシリアル、無農薬の玄米粉、そしてボディソープなど。たまに買うのはパンやお弁当。

地下のレストランは、メニューを見たら目ん玉が飛び出るほど高かったので、いまだかつて一歩も立ち入ったことはありません……。

6 仕事をする

初めての仕事をGET

台湾に引っ越してから1か月が経ち、ぼちぼち台湾で介護の仕事でも始めんと、と思っていたところ、とある出版社から連絡がありました。というのも、私は東京で隠居生活をしていた時期、年に一度くらいですが、旅行雑誌のテクニカルライターの仕事をもらっていたのです。

何の用件だったかというと、「ちょうど台湾のガイドブックを作っているので、台湾にいるなら取材に行ってきて」と。

思わぬところから仕事の依頼があるもんだと、即やります！　と返事をしたのでした。

仕事の内容は、ショップ、レストラン、観光スポット、夜市などへ出かけて、取材・撮影。その後、編集者から送られてくるレイアウトに合わせて執筆。

何度かやってみると、旅行誌というのは年にそう何冊も出るものではないらしく、非常に隠居にピッタリのペースだということがわかりました。

台湾を何度か担当するうちに、韓国やシンガポールなどへの出張も増えてきて、それでも取材は年に3～4回。1か月かけて1冊やれば、あとの2～3か月は何もしなくてよい、という感じに落ち着いています。これで「働きすぎて隠居ができない問題」もひとまずクリア。よかったよかった。


さて、台湾のお仕事事情って、どんな感じなのでしょうか。

現在まで十数回の取材をこなしてきたトラベルライターの経験でいうと、いままでに担当したのはすべて海外取材なので、日本での取材と直接比較はできません。が、その社会における物事の進み方のようなものは、やはり違うなあと思うことがあります。


思いつくまま挙げてみますと……。

①話が早い
台湾の場合は、なんといっても話が早い！

日本で取材の仕事をしようとなったら、おそらくまずお店に連絡し、企画書を送付し、本社に連絡がいき、複数人の上司に確認し、ハンコをもらい…、というくつもの流れがあると思う。

台湾は、その場で即日ＯＫ！

これ、けっこうあります。大きなチェーン店なんかは、やはり本社の確認が必要なんですが、小さなお店や屋台の場合は、お店に老闆《ラオバン》（オーナー）さえいれば直接交渉して、即取材となることが多い。

私は現在、アポ取りも自分でやるようになったので、話が早いのは本当にありがたいです。

②仕事上でも超親切

仕事の場でも超親切な台湾人。日本のガイドブックの取材というと、たいへん喜んでくれます。なかには、こちらは頼んでないんですけど、取材当日に日本語ができる友達を通訳として呼んでおいてくれたお店もあったり。なんでそこまでしてくれるんでしょう……隠居感激。

そしてこれは台湾取材に来た日本人ライター全員の感想ですが、台湾に取材に来ると、帰りの荷物が大変なことになります。なぜなら台湾人は客を手ぶらで帰さないから。両手におみやげを抱えて取材から戻るというのが連日続くので、スーツケースに入らんこと入らんこと。でも厚意に応えるため、意地でも持ち帰る！　それもまた取材の思い出になるんですよね。

とくに南部に行けば行くほどこの傾向がありますね。日本でもそうですが、南下すればするほど、人々が開放的で、人懐っこく、親切です。

③たまにうっかり忘れる

約束の日時に行くと、お店が閉まってたり、担当者がいなかったりすることが、たまにあります。いや、たまにじゃなくて、よく、かな。深い意味はなく、ただ忘れてるだけ。

でもいいんです。ぜんぶ気候のせいだから。いちいち怒ったりしてたら話が進まないので、とりあえず次の店に連絡＆ＧＯ！　です。

台湾人のメンタリティ

そんなわけで、私が最低限の中国語でもなんとか仕事をこなせているのは、台湾人に助けられているからです。これがイギリスやフランスだったら、言語が下手くそな時点でバカにされ、相手にしてもらえないかもしれない。

正直いって、台湾以外の国では、取材に行っても、人気店になるほど歓迎されないことが多いんです。

「宣伝なんてしてもらわなくても、ウチには客が来るんだよ」ということなのでしょうが、私、取材に行ってもほとんどほったらかし状態ということもしばしば……。まあ需要と供給のバランスという経済の摂理が働いているのだから、これはしかたがないと思う。

ところが！　台湾だけは違うんです。

ハッキリ言って、雑誌というのはオールドメディア。そんなメディアの人間が取材に行っても、たとえ予約の取れない人気店でも、すごく喜んでくれるという。このメンタリティはどこからやってくるものなのか。

それは私が取材者という、相手に利益をもたらす立場にいるから、というだけでもなさそうなんです。

ふつう観光地というのは、人気になればなるほど、そこにあぐらをかいてサービスや接客のレベルは低く、それに反比例して値段は高くなる、というのがワールド・スタンダードじゃないですか。

ところが！　やっぱり台湾だけは違うんです。

いえ、たしかにそういう店もあると思うけど、でもでも、とある日本の、お金を持ってない客には超冷たい、荒んだ観光地と比べたら、ぜ〜んぜん、超絶やさしいんですけど!?

ほんとに、このメンタリティ、いったいどこからくるのか!?　いまだに完全にはわからなくて、台湾人のことがもっと知りたくなってしまう隠居なのでした。

＊　＊　＊

在台日本人に聞いた、日台の違い

台湾で知り合った日本人Mさんに誘われて、深坑《シェンコン》老街(新北市《シンペイ》)の豆腐料理のイベントへ行った。タクシーに乗り込み、Mさんがドライバーに行き先説明。Mさんは日本語を話すときと中国語を話すときのノリというか人格が同じだ。私は英語を話すとき、日本語の自分よりもハッキリと、頭の中で論理立ててからしゃべるから、別人のような気がするけど。

途中でNさんも加わり、中国語談義。

繁体字（たとえば「愛」）は象形文字で自然からできたものだけど、簡体字（「爱」）は人工的に作ったもの。台湾人は「愛に心がないなんて！」って見下すのが定番らしい。

それから、最近の日本人が漢字を読めるけど書けない現象、台湾でも同じみたい。

疑問がもうひとつ。日本人なら、漢字がわからなかったらひらがなで書けるけど、漢字しかない台湾人はどうすんの？　これは、ボポモフォという台湾独特の注音記号で書くんだって。これ、台湾人がスマホでポチポチ打ち込んでるあれだ。まだぜんぜん仕組みがわかんないけど。

あと、日本の漢字との微妙な違いに、台湾人は敏感。たとえば、「歩」という字の、外側の点がない（「步」）とか、「内」という字が、人じゃなくて入（「內」）だとか。

豆腐料理をつまみながら、日台のメディアの話に花が咲く。

日本のテレビって、予定外のことが起こったとき、それをそのまま放送すればいいのに、無理やり予定調和にする。でもさまぁ〜ずが来たときは、感想が正直でうれしかったとか（味がないものを、ちゃんと「これ、味ねーな！」って言ってくれるところとか）。

ほかにNさんの話で面白かったのが、台湾人って、メディアの取材が来るときだけ本気出すらしい。普段はてきとう。だから、取材のときに食べた火鍋がめっちゃうまくて、スープまで飲めるんだから！　とか個人的に宣伝すると、あとから話が食い違ったりするんだって。「台湾人は、取材のときだけがんばるんじゃなくて、いいものを出し続けるという大切さがわかってない！」と言う。だけど台湾人に聞いたら、取材のときだけ本気出すの当たり前じゃ〜ん、みたいな感じらしい。台湾人ウケる！　こういう日台の姿勢の違いって、ほんと面白い。

MON-FRI
SAT-SUN

第3章

台湾の隠居生活に根が生える

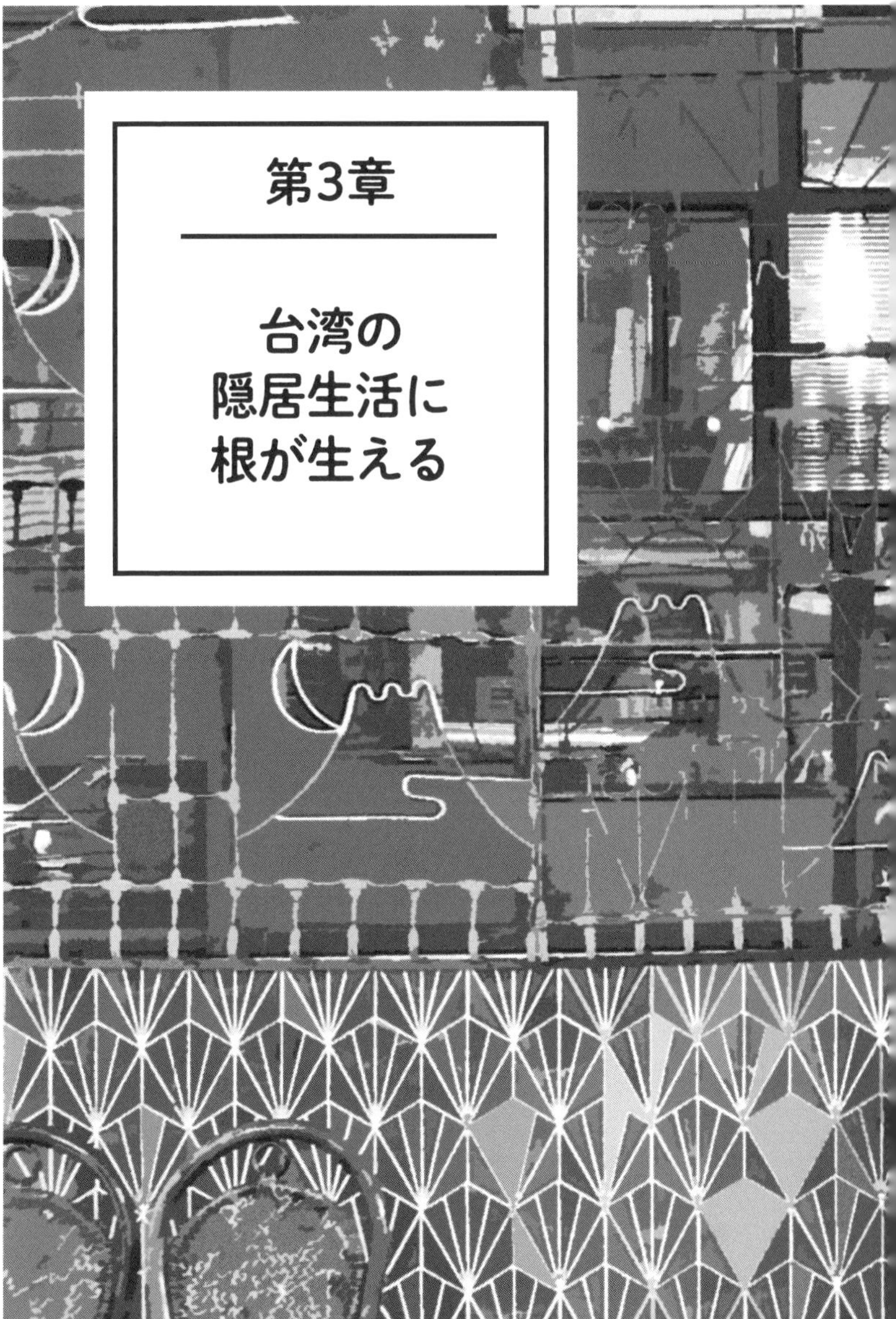

1 ワーホリビザが切れた！

そしてついにやってきた、１年間のワーホリビザが失効する日！

ギリギリだと何かあったときに心配なので、念のため、台湾に降り立った日（つまりワーホリビザがカウントされる日）の１年後から３日早い、３６２日目の航空券を予約しておきました。

出発前夜、ベッドに寝そべって何気なくビザを確認していたところ、期限が「１８０DAYS」と書いてあるのが目に留まりました。

台湾のワーホリビザは、まず１８０日で発行され、その後一度だけ、もう１８０日の延長が可能なのです。私はもちろん、バッチリ延長しておきました。

合計３６０日。

……滞在期限を２日越えとるがな!!

血の気が引くとはまさにこのこと。

次の瞬間、ばねのように飛び起き、激打でスマホをググり始めた私。「台湾　オーバー

第3章

ステイ」とかで調べると、ネット検索の性質として、不安なときには不安な情報が、大挙して引き寄せられてくるものです。
「4000元の罰金。」
「1年間、台湾への再入国禁止。」

軽く死んだ。
楽しかった台湾での隠居生活。こんな形であっけなく幕を閉じることになるなんて。この愛すべきアパートも、いまさらどうすることもできない。もうここには戻れないのだ。原因は私の単純な確認ミス。悔やんでも悔やみきれない。さようなら、いままでありがとう台湾……。

私はうなだれ、その夜はショックのあまりほとんど眠れず、自分の愚鈍さを呪いながら翌日桃園空港に向かい、出国審査を済ませて成田行きの飛行機に搭乗したのでした。

……ってフツーに飛行機に乗れとるがな!!

なんでなんでなんで!?　何が起こったの!?　いや何で何も起こらなかったの!?

冷静に考えてみるに、私は帰国する3か月以内にも、一度日本に帰っていたのでした。だとすると、ふつうにビザ免除の観光客扱いになっていて、90日間の滞在が適用されてたのか?

いやしかし。たしか入国するときに「ワーキング・ホリデー・ビザ?」と聞かれ、「YES」と答えたように記憶していたんだが……。

自動的に長い滞在期間のほうが適用されるのでしょうか?

こればっかりはいまもってわからない。かといって、あとからさかのぼって罰金を請求されても困るので、絶対に入国管理局に問い合わせたくない。

本当に危機一髪だった……。

ワーホリビザが切れたあとはどうしたのかというと、1か月後、ノービザのまま観光客として台湾に再入国し、めでたく台湾隠居生活2年目に突入したのでした。

それから、90日ごとに出入国を繰り返すことになるのですが、90日ごとに来てるのに入国カードには毎回「観光」にチェック。どんだけ観光すれば気が済むんだと言われてもしかたない。これがアメリカだったら、即「そんなに頻繁に観光に来るなんて怪しい」と別室に連れていかれるところですが、台湾では入国を止められたことも、怪しまれたことも**（いや怪しまれてるかもしれないが）**、実は一度もありません。それは日本人の私だけではないようで、台湾人の友人なんて、3か月どころか毎月のように日本に遊びに行ってるけど、一度も入国拒否されたことはないという。

私はその理由として、日台関係が良いということが挙げられると思う。お互いの国に対する感情が、一般的にいって非常に良い。日本人なら入国させても法律を破ることはないだろう、という信頼がある。でもそれは隠居ごときの努力では決してなく、そうした関係を築いてきてくれた日台の先輩たちからの恩恵なんですよね、ホント。

私はバックパッカーとして世界一周旅行をしていたとき、着の身着のままでかなりみすぼらしい恰好をしていたこともあり、イギリスやらニュージーランドやら、いろんな国のイミグレーションで怪しまれ、荷物を開けられ、尋問されたものでした。

だから台湾2年目、しかもノービザの私を受け入れてくれたことに、えらいこと感動していたのです。

もう今後の日本と台湾の人たちの迷惑にならないように静かに隠居……いやできることなら、チャンスがあれば、日本と台湾のために何かしたい(**隠居しつつ**)!

まあ、そんなことはきちんとしたビザを取ってから言え、という話なんですけれどね。

現状で私ができるのは、法律を遵守し、台湾に迷惑をかけないこと。

つまり、ワーホリビザが切れたいま、きちんと90日以内に入国し直し、お金が発生する仕事をするときは、台湾の会社からは受けてはいけない、ということです(**日本の会社からペイされる仕事なら、違法な雇用には当たらないのです**)。

いまはこれくらいのことしかできないが、これからも台湾の取材の仕事は、できるものはぜんぶやろう。そして台湾のおいしいものを、楽しい場所を、人気のアイテムを、ガイドブックなどを通じて紹介しよう。それを見て、一人でも多くの日本人が台湾に来たいと思ってくれたら、やった甲斐があったってもんです。それが日本と台湾のために、いまの私にできるせめてものことですから。

第3章

結論。ビザはもちろんあるに越したことはないが、90日ごとに入国しなおせば、なくても最悪台湾で生活していけそうです。

2 1か月の生活費は5万円以下

台湾に引っ越して1年が経過。

日本と同じようにはいかないながらも、なんとか自分なりに隠居生活をカスタマイズしてきました。いったん暮らし方がわかってくると、毎月の生活費もだいたいわかるようになります。ここでいう生活費とは、家賃などの固定費を含む、生活にかかる金額すべてです。「生活費」というと、家賃を入れない場合が多いみたいなんですけど、あれってわかりにくいんですよね。

でも相変わらずズボラな性格なので、家計簿を毎月つけるのはムリ！　なので、1か月に絞って、生活費をすべて記録してみました。どうぞご覧ください。

	費目	内容・明細	台湾元	日本円
10/28	外食	酸辣湯麺	50	180
		タピオカミルクティー	40	144
		フライドポテト	25	90
	食費	チョコビスケット2箱	92	332
		野菜ジュース(400mℓ)	48	173
		コーラ(600mℓ)	23	83
		ハンバーガーのバンズ2個	12	44
10/30	外食	すし	80	288
		菜包(キャベツまん)	13	47
		ホットドッグ	15	54
	食費	ヨーグルト(500g)	52	188
		チョコレート	39	141
		野菜ジュース(400mℓ)2本	48	173
		バナナ4本	19	69
		ハンバーガーのバンズ	6	22
10/31	外食	酸辣湯麺	50	180
		フライドポテト	25	90
11/1	交通費	MRT、バス	102	368
	外食	炸醤麺	65	234
		おかゆ(小)	40	144
		魯肉飯、燙青菜	60	216
	食費	クロワッサン(6個入り)	57	206
11/2	外食	酸辣湯麺	50	180
	食費	素食インスタントラーメン(5食入り)	72	260
		リッツ	71	256
		ヨーグルト(500g)	53	191
		バナナ4本	25	90
		野菜ジュース(400mℓ)	24	87
		ハンバーガーのバンズ	6	22
11/3	外食	素食自助餐	54	195
		パイナップルジュース	50	180
		タピオカミルクティー	55	198
		鶏肉飯、炒青菜	70	252
	食費	有機きゅうり2本、有機レタス1個	40	144
	交通費	MRT、バス、Youbike(シェアバイク)	92	332

	費目	内容・明細	台湾元	日本円
11/4	外食	ピザ	59	213
		フライドポテト、四季豆	45	162
11/5	外食	酸辣湯麺	50	180
	食費	擂茶	110	396
		食パン	39	141
		大福	38	137
		ケチャップ	36	130
		ハンバーガーのバンズ2個	12	44
		素肉缶詰2個	58	209
11/6	外食	フライドポテト、四季豆	45	162
11/7	交通費	MRT、バス	62	224
	娯楽費	北投温泉	40	144
	外食	乾麺(汁なし麺)	35	126
		タピオカミルクティー	49	177
		たこやき	40	144
	食費	バナナ4本	40	144
11/8	食費	ビスケット(200g)2箱	119	429
		ヨーグルト(500g)	53	191
		ピンクグレープフルーツ	39	141
		野菜ジュース(400mℓ)2本	48	173
		アルファルファ	23	83
11/9	外食	豚骨ラーメン	145	522
		食器洗いスポンジ(5個入り)	35	126
11/10	交通費	MRT、バス	87	312
	外食	タロイモミルク	60	216
	固定費	家賃	4,300	15,480
		電気代	427	1538
		水道代	100	360
		通信費	166	598
		合計	11,155	40,158

※1台湾元＝3.6日本円
個別の値段は端数を切り上げており、日本円での合計金額は、台湾元での合計金額を換算したものです。

1か月の家計簿

	費目	内容・明細	台湾元	日本円
10/12	食費	きゅうり1本、トマト1個、豆苗1袋	73	263
		野菜ジュース(400mℓ)2本	48	173
	外食	素食粥	70	252
		味噌ラーメン	145	522
10/13	食費	ココナッツビスケット	42	152
		ヨーグルト(500g)	52	188
		有機豆腐2丁	34	123
		ハンバーガーのバンズ2個	12	44
10/14	外食	フライドチキン、フライドポテト	100	360
	食費	コーラ(600mℓ)2本、ポテチ1袋	64	231
10/15	食費	杏仁茶	85	306
		ビスケット(200g)	49	178
		ポテチ	23	83
		バナナ4本	22	80
		塩	18	65
		文旦1個	15	54
10/17	外食	蒸し餃子	50	180
	食費	野菜ジュース(400mℓ)2本	48	173
		素食インスタントラーメン(5食入り)	72	260
		ヨーグルト(500g)	51	184
		きゅうり3本	27	98
		OREOチョコケーキ(5個入り)2箱	44	159
	その他	トイレットペーパー(6ロール)	57	206
10/18	外食	ピザ、コーラ	74	267
		タピオカミルクティー	50	180
10/19	食費	チョコビスケット2箱	99	357
		ハンバーガーのバンズ2個	12	44
		有機豆腐	17	62
		バナナ4本	25	90
		有機野菜	35	126
10/21	外食	酸辣湯麺	50	180
		タピオカミルクティー	50	180
		フライドポテト	25	90
	食費	コーラ(600mℓ)2本	39	141
10/22	外食	酸辣湯麺	50	180
	食費	野菜ジュース(400mℓ)2本	48	173
		ヨーグルト(200g)2個	52	188
		チョコパイ	42	152
		バナナ4本	22	80
		ハンバーガーのバンズ	6	22
10/23	外食	餃子8個	40	144
		タピオカミルクティー	95	342
	交通費	MRT、バス	95	342
10/24	交通費	MRT	80	288
	食費	こんにゃく玄米ロール	49	177
10/25	外食	しょうゆラーメン	145	522
	食費	キウイ2個	16	58
		台湾コーヒー2袋	149	537
		杏仁茶	85	306
		素食インスタントラーメン(5食入り)	72	260
		チョコレート	38	137
		野菜ジュース(400mℓ)	24	87
		有機豆腐	17	62
10/26	外食	フライドポテト	30	108
10/27	外食	芝麻醤麺(ゴマダレ汁なし麺)	55	198
		フライドポテト	25	90
	食費	野菜ジュース(400mℓ)	30	108
		梨3個	100	360
		パイナップルジュース	50	180
	交通費	MRT	80	288

なお、為替レートは3年間暮らしていた間の平均的な値（1台湾元＝3・6日本円）を取り、計算しています。

個別に補足説明をしてみます。

固定費を別にした生活費６１６２元（２万２１８４円）

このころになると外食もさらに抑えることができ、キッチンがないながらも自宅で火を使わずに作れるサラダやサンドイッチを作ってました。また、そんなに我慢はせず、お菓子を買ったり、たまにはフライドポテトやラーメンなど、ジャンクな外食もしています。月に一度の楽しみである温泉（**このときは北投**《ベイトウ》）にも行きました。台北市内には7回行っており、普段は週に一度行くかどうかなので、平均よりも出かけていますね。超緊縮財政月間の場合、このあたりを削ればさらに１０００元（３６００円）は減らせるでしょう。が、私は節約するために生きてるわけではないので、普段はこれくらいの楽しみは自分に与えるのを許すことにします。

ちなみに仕事の取材旅行が入ると、しばらく家を空け、食費は経費に計上されるので、生活費がさらに下がります。なので実態に則した生活費を確かめるため、家計簿は取材期

第3章

間中を避けて1か月間としました。もともと少食なので、食費は平均より少ないと思います。

家賃 4300元（1万5480円）

お気づきの方もいるかもしれませんが、1年目よりも安くなっています。実は2年目の更新のとき、「長く住むから安くして！」と大家さんに交渉して、200元まけてもらいました。ただでさえ安いのに……。大家さんありがとう！

ちなみに家賃のなかには、無制限の通信費(Wi-Fi)も含まれています。これも台湾のアパート事情の、経済的にうれしいところ。

水道 100元（360円）

1か月100元の定額になっていて、2か月に一度、家賃と一緒に振り込みます。

電気 427元（1538円）

電気代も2か月に一度、家賃と一緒に振り込みます。だいたいひと月に400元（1440円）前後で収まることが多いですが、夏は夜間のみエアコンを使うので、少し上がります。

通信費 166元（598円）

家のWi-Fiとは別に、スマホのプリペイドSIMカード（6か月1000元）を1か月に割ったものです。

以上、すべてを合計して11万1155元（4万1558円）でした。

忘れてはいけないのが、**日本への往復航空券代**

生活費を5万円とすると、すいぶん予算が余ってしまうように感じられると思います。が、しかし、余った分はせっせと貯金です。なぜならワーホリが終了する台湾隠居生活2年目からはノービザになるため、90日間ごとに日本に帰る航空券を買わなければいけないからです。

私はフリーランスなので、オフピークを狙って、平均で往復航空券が3万円程度～（預け入れ荷物代込み）。安いときに当たれば2万円台でいけます。

いつも使うのはバニラエアやジェットスター、タイガーエアなどのLCC。サービスは最低限ですが、何もヨーロッパまで10時間以上乗るわけじゃなし。片道2～3時間なんてあっという間ですから、まったく問題ないです。

といっても、支払いはクレジットカードのみなので、実際は余った生活費をそのまま使うわけではないんですけどね。こちらも何かあったときのために貯金、の一択です。

というわけで、家賃や往復航空券も含めて、月5万円あれば大丈夫、というのが私の実感です。

前述のように、ノービザだと台湾の会社から仕事を受けられないので、収入はすべて日本の会社から日本の銀行口座に支払われます。当然、所得税は日本で発生(ただし、年間収入が103万円を超える場合)。

なので台湾に戻るたびに、「月の生活費5万円×3か月分＝15万円」を日本円で持ち込み、銀行で台湾元に替えてそのまま口座に入れておくことにしています(**口座には、何かあったときのために、生活費とは別に予備費を5万円入れてあります**)。

現在はフリーランスなので、毎月定収入があるわけではないのですが、ガイドブック取材の仕事がだいたい年に4回くらい。担当する量にもよりますが、ギャラは撮影・インタビュー・執筆含め1回15万円〜。これだけ稼げていればひとまず安心。

平均して月5万円以上の収入になった場合、これも言わずもがなですが、何かあったときのための貯金に回します。

3 言語の問題

中国語が読めないけど読書はしたい

隠居していると、どうやってお金をかけずに楽しみごとを見つけるか、が重要課題です。で、私の趣味は何かというと、読書と散歩。しごくフツー！

なぜかというと、数ある趣味のなかでも極端に他のものに対する依存度が少ないからです。お金への依存、場所への依存、電気やネットへの依存、他人への依存、ぜんぶなし。だから**いつでもどこでも、お金をかけずに、一人でもできる！　コスパ最強！**　というわけなのです。

いや、正確には本を買うのにお金はかかるんですけど、そこは図書館という素晴らしい公共サービスがあるじゃありませんか！

というわけで、隠居的・不動産の資産価値が最も高い条件は「図書館至近」。駅とかスーパーなんて近くになくていいんです。

で、引っ越してからしばらくして、近所の図書館にいそいそ出かけてみたんですが、当然のことながらすべて中国語。ぜんぜんまったく読めない……。

このままでは、私の読書ライフが危機に瀕してしまう！

電子書籍っていう手もあるんですけど、隠居生活には経済的な制約もあるので、なかなか手が出ない。

そんなとき、気まぐれに近所の大学の敷地内を散歩していたら、でっかい図書館がありました。聞いてみると、学生でなくても、身分証（外国人ならパスポート）を預ければ、一時入館証を発行してもらえるとのこと。

さっそくパスポートを取ってきて、入館してみると……。

さすが大学、外国語の原書コーナーが充実している！　英語はもちろん、日本語や韓国語、フランス語の原書もたくさんある!!

とくに世界的人気の村上春樹さんの本なんて、関連本も含めて超豊富な品揃え。

学生じゃないので貸し出しは認められないため、長編はあきらめて、滞在中に読み終われる短編小説をよく読みます。

さらにこれは台湾ならではの体験だと思うのが、台湾人日本語作家たちの全集があること!!

ご存じの方も多いと思いますが、台湾は1895〜1945年の間、日本統治時代を経験しています。この間、日本語教育を受けた台湾人作家たちは、母国語である台湾語と、外来言語である日本語のはざまで、葛藤を抱えながら創作活動をしていたのでした。

有名なところでは龍瑛宗《りゅうえいそう》、葉石濤《ようせきとう》、黄霊芝《こうれいし》など。

ちなみに『香港』という小説で直木賞を獲り、のちに日本に帰化された邱永漢《きゅうえいかん》さんも、日本統治時代の台湾出身です。文学活動としては戦後からのスタートなので、どちらかというと現代作家に分類されるかもしれません。

また、西川満《みつる》や坂口れい子など、日本統治時代の台湾で活躍した日本人作家の本も置いてあります。日本の図書館ではなかなかお目にかかれない作品ばかりですし、昔の台湾の社会や風俗がわかって、たいへん面白く読んでいます。

しかし、教育機関であるからして、やはりというか、まじめな文学作品が多く……。

私の好きな、何の役にも立たない本(**サブカル、エッセイ、オカルトの本とか**)はなかなか置いていてない。

これに関しては、帰国するたびに古本屋で文庫本を10冊くらい買って、台湾へ持ち帰ることにしています。

あと、私は遠いのであまり行きませんが、公館《ゴングワン》駅前の台湾大学図書館も、学生以外でも身分証を預けると中に入ることができます。ここにも日本語の原書や、珍しいところでは日本統治時代に台湾に存在した神社の研究書なんかも置いてあって、見ているのが楽しいですよ。

引っ越して3年、最低限の中国語でなんとかやってます

さて、せっかく海外に住んだなら、その国の言葉をマスターしたいものですよね。しかし隠居の私には、問題が山積状態。

① 隠居なので語学学校に通うほどの予算はない
② 隠居ゆえに基本的にひきこもりである
③ 隠居であるからして友達が少ない

つまり日常的にほとんど会話はない。外国語どころか、できれば日本語すらしゃべりたくないんである。ちなみに、犬や猫、ヤモリなどにはわりと話しかけますね。……こんなに外国語学習に向いてない人間もいないだろうと思う。

それに35年日本人やってるけど、いまだに知らない日本語の言葉や慣用句があるんですよ。漫然と勉強していても、具体的なゴールを設定しなければ、言語習得って出口の見えない迷宮に立ち入るようなものですよね。まずはその迷宮の、何階のどの部屋にたどり着けばよしとするか、を決めることにしました。

私の目標は、「最低限、日常生活と仕事(**つまり取材**)ができること」に設定。間違っても、「中国語で小粋なパーティー・ジョークをかまして台湾人の笑いをとれること」なんか目指してはいけません。ていうかそんなもん母国語でも無理です。

ゴールを決めたら次は、使えるものはぜんぶ使って、合格点になるべく簡単にたどり着く!

よく考えたら会話は中国語だけでなくてもいいよなー。よし、日本語も、英語も、筆談も使おう! さらにコミュニケーションに関していえば、言葉によるものだけではないよなー。表情やボディランゲージ、あとどうしてもダメならGoogle翻訳もフル活用！　あれ？　どんどん中国語会話から遠ざかっていくような……。

でもどうですか。

2年くらいでなんとか、通訳をつけずに、一人でアポ取りや取材ができるようになったじゃありませんか！

ポイントは、必要なフレーズだけを丸暗記すること。

というのも、取材の仕事で使うフレーズなんてだいたい決まってるんですよ（日本の旅行雑誌の取材をしたいんですが／おすすめのメニューはどれですか？／営業時間は？　など）。それに想定される返事（数字、食材の名前、地名、調理法などの組み合わせ）がわかればなんとかやっていけると判断。

あとは漢字圏の人間のアドバンテージとして、多少のコツがわかれば読解はできる。そこで雑誌の企画書はもちろん自分で中国語に翻訳し、取材シートも私が記入する日本語版とは別に中国語版のものも作成。どうしてもわからない場合はお店の人に書いてもらうという手もアリです。もちろん取材前に、店舗の情報を日中英の3か国語で下調べしておくのも忘れません。中国語だけで勝負しないなんて、そんなのズルいですか？　ふっふっふ、いいんですよ。仕事についていちばん大切なのは、過程はどうあれ、きちんと成果が提出できることですからね。

と、まあこのような感じなので、中国語オンリーで完璧に生活・仕事ができるかといったら正直、まだ無理です。銀行の手続きとか、煩雑なものは英語のほうがわかりやすいので……。道のりは果てしなく遠い。使っている言語の割合でいうと、中国語3／英語4／日本語2／その他（**筆談やボディランゲージ**）1、といった具合ですかね～。

でもまあ、当初の目標である「最低限、日常生活と仕事ができること」はクリアできたので、よしとしようではありませんか！

目標は達成してしまったので、あとはもう娯楽としてゆるゆると学習を続けています。最近は、家にひきこもってネットで中華圏のBLドラマをよく観ています。中国語の字幕が出てくるものが多いので、それを書き出し、意味を調べ、シャドーイングするのが楽しい。ただし、私好みのイケメンのセリフだけを。イケメン好きの私にとって、イケメンの話す中国語以外は中国語じゃないのです。

第3章

4 日帰り温泉の楽しみ

台湾には火山帯が走っており、だから地震もあるけれど、恩恵だってもちろんある。それが温泉！

東京に住んでいたころから、近郊の日帰り温泉は月に一度のお楽しみでした。温泉大国・台湾に住んでるいま、温泉に行かない理由はありません。いや、むしろ台湾に住んでいるいまのほうが温泉欲が増大している。というのも基本的に、台湾の安い一人用アパートのバスルームにはシャワーのみ。浴槽などという贅沢品はついてないのです。

しかし、温泉があるからといってどこにでも出かけていくと思ったら大間違いだ。アラサーを過ぎてからズボラに拍車がかかってきた隠居。温泉には行きたいけれど、外に出るのが年々億劫になってゆく。遠く離れた知らない街に行き、駅から徒歩5分以上なんて歩きたくない。交通の不便そうな秘境の温泉なんて絶対ダメ。かといって、近場の温泉じゃ行った気がしない。だったらドア・トゥー・ドアのバスツアー？　いや団体行動ムリだし。ああこうしてブーたらブーたら文句を言って、一緒に出かけてくれる友達も（ただでさえ少ないのに)、減っていくのだな……。

ふつうなら老化による体力の低下や融通の利かなさや気難しさを、ため込んだカネでバシッと解決することもできようが、経済的に制限のある隠居に限ってはそんな選択肢は許されない。それが自分で選んだ、「必要以上に働かない」という道だもの！

私が欲しているのは、日常から適度に離れて旅行気分が味わえるのに日帰りで簡単に行けてそれなのに駅から徒歩5分以内でかつリーズナブルな温泉。

ええ、あったんですよ、そんな温泉が。

＊　＊　＊

マイフェイバリット美肌の湯

というわけで私がよく行くのが、東海岸は宜蘭《イーラン》県にあります礁渓《ジャオシー》温泉。台北から日帰りでも行けるとあって台北人にも人気ですが、まだ日本人には知名度が高くないのか、日本人を見かけることはあまりありありません。

台北駅直結のバスターミナルから、カマランバス(往復189元＝約680円)で1時間。終点が礁渓バスターミナルで、この真裏が温泉公園。公園内には無料の足湯があり、その横には水着着用の温泉プール。その奥には水着不要の「森林風呂」があります(宜蘭県民以外は入場料120

元＝432円）。私はこの「森林風呂」へ一直線、徒歩3分！
無味無臭無色の天然温泉。炭酸重曹泉、いわゆる美肌の湯というやつで、お湯の中で肌をこするとツルツルするのがわかる。ちょっと消毒用の塩素のにおいがすることもあるけど、露天だし、サウナもあるし、周りにいるのは全員同じアジア顔。造りが日本風なので、まるで台北から1時間で日本に帰ってきたみたい。礁渓好き……。

温泉のあとは市街地まで歩き、名産・温泉水で育てた有機トマト（ズボラダ用）を買って帰るのがお気に入りのコース。

ただし、一人でも入れるおいしい食堂を見つけるのが今後の課題です。

田舎の観光地というのは、行ってみるとよくわかるけど、町全体が基本的に団体旅行者向けに作られているんですよね。レストランに入ればテーブルは円卓のみで、ホテルにシングルルームはほぼない、といった具合。そもそも旅行というレジャーが、団体向けとして始まったんだと思う。それに比べたら個人旅行なんてごくごく最近の風潮。だから友達がいない、しかも団体と比べたら落とすお金も少ないソロ・トラベラーにはなかなか利用しにくいこともある。前に来たときも、一人で入りやすそうな食堂に出会えなくて、結局台北でも食べられるモスバーガーに行ってしまった。

それにしてもアラサーを過ぎてから、欲望の総量は全体的に減退してきたと思う。いい感じだ。たまに温泉欲がひきこもり欲に勝つのは、若さの残滓。アラフォーくらいになったら、温泉欲もさっさと枯渇し、私は日帰り温泉にすら行かなくてハッピーになってゆくのではないかと期待しています。

5 街を歩く

散歩はマーキングのようなもの

引っ越してから、新しい縄張りを決める途中の猫ように、少しずつ近所を歩いている。散歩って、なんかマーキングしてるみたいだな、と思う。

何の変哲もない道のように見えて、やっぱりなぜか好き嫌いがある。そして、好きな場所は覚えておいて、何度も歩き、だんだんとお気に入りのコースとして認定され、それが増え、散歩の行動範囲が広がっていきます。

途中で見たものや聞こえたもの、人や自然の営みを観察し、いろんなことを感じたり考えたりするのは、**もはや無料のエンターテインメント**。

ある日のマーキング

朝食にするフルーツを買いに、午前中のうちに近所の市場に行かなくては、と急いで行ったらもう半分ぐらい店が閉まってた。

ので、カフェに寄ってタピオカミルクティーでも買おうとしたら、「まだ準備できてないよ〜」と若い女性の店員さん。開店したばかりらしく、テラスにテーブルも出ていない。台湾で開店時間というのは、ほんとうに文字通り「店が開く時間」のことで、準備はぼちぼちやるのである。

何も買えなかったので、あきらめてとりあえず帰る。改装中の店舗の中では工事のおじさんが仕事着のまま横になり、ヘルメットを頭に乗せて、つま先を入口から出して寝てるし、みんなやる気なくてホッとする。

台湾だとぜんぜんムッとしないのが不思議。

人間って、放っておくとこれくらいのペースで生きるんじゃないのかなぁ。

夕方ごろ、また市場を通り過ぎたら朝よりにぎわってて驚いた。市場といえば朝、と思ってたんだけど、この市場は夕方開くのか。で、看板を見たら「黄昏市場」。なるほど……。

この日買ってみたのは、パイナップル1個、オレンジ4個、ドラゴンフルーツ1個。この、ドラゴンフルーツの形がすごいんだよ。鮮やかな紅色で、ダチョウの卵くらいの楕円球体をしてて、燃え上がる火の玉みたいにピラピラしたのがついてる。ドラクエだったら絶対MP全回復するに違いないっていう感じのフォルム**（知らんけど）**。果物って造形が人智を超えたセンスしてる。どんな味なのか楽しみ。

パイナップルは、丸ごと1個買った。

元気なおばちゃんが「切る？」と3回ぐらい聞いてくれたので、皮が厚そうだし、自分で切るの大変だから切ってくれようとしてるのかなと思い、切ってもらった。**すげーでかい包丁でスパンスパンと勢いよく。**

仕事人の作業する姿って、機能美っていうのかな、無駄がなくてすごく美しい。何度も繰り返して、その無駄がない動きになったんだろうな〜というのが感じられて楽しい。

と思ったら、皮をむいた状態の果実をビニール袋の上にドンと直置きし、さらに勢いよくザクザク切って、そのまま袋に入れて手渡し。それはいいんだけど、勢いがよすぎて袋まで切り込み入ってるやん。

おばちゃん、パイナップルの汁漏れてるよ……。次から切ってもらうのは皮だけにしようっと。

川辺の路上ライブ

小高い丘を下り、淡水駅方面へ歩く。

台湾の建築って、数軒先まで連結した長屋みたいになっていて、入口の面積は狭いんだけど、奥に長い。1階がお店、2階が住居スペースという造り。家によってファサードが違ってて、見比べるのが楽しい。金持ちほど装飾に凝ってて派手なんだと思うけど、私はモダニズムっぽいシンプルなのが好きだな。

その1階は、亭仔脚《ティンズージャオ》という屋根つきアーケードになっているものが多い。これって、暮らしてみるとわかるけど、雨が多くて日差しの強い台湾では、濡れずに涼しく歩けて、非常に合理的な建築様式。そういうふうに建てられているということには、必然性があるものなんですね。

台湾に長く住む日本人に聞いたところでは、このアーケードは法律では一応、公共空間ということになっているんだけど、商店の場合は私物化して商品を並べちゃったりしてるし、ここに屋台を出す場合、商店が使用料を請求することもあるらしい。

台湾ってたしかに、決まり事について、セーフとアウトの境目がずいぶんぼんやりしてる気がする。

たとえばこのアーケードでも、公園でも、公共スペースは禁煙のところが多いんだけど、それは時と場合でそのつど判断するっていうか。「周りに誰もいないんだからよくね？」みたいな感じでみんなタバコ吸ってるしな〜。べつに咎める人もいない。そして人がたくさんいる駅とかでは誰も吸ってない。このバランス、いいなあ。

「相手も許すから、自分も許してね」って感じかな。たぶん、この逆で、自分に厳しすぎて自分が許せないと、他人のことも許せなくて自粛警察みたいなことが流行するんじゃないだろうか。

途中で図書館に寄ろうと思ったが道を間違えてたどり着けなくて、そのまま淡水の川べりを散歩。

淡水はかつて港町として栄え、歴史的建造物なんかもあり、夕日がきれいということで、ちょっとした観光地にもなっているそうだ。駅を出て北側には、淡水河《ダンシュイフー》沿いに遊歩道と淡水老街が延びていて、おみやげ店や屋台、海鮮料理屋なんかがひしめきあっている。

川辺の遊歩道を歩いていたら、年のころ小学校高学年くらいだろうか、盲目の少女が縦長の小さな四角い箱に座り、マイク片手に路上ライブをしているのが目に留まった。

黒髪をポニーテールにして、見えない目は開いてるのか閉じてるのかよくわからない。チープな電子音に合わせて、手首をカクカク動かしてヘンなリズムをとっている。その後ろには、こちらは少し年上の女の子が、キーボードを叩いている……ふりをしている。姉妹だろうか。

それを見て、「うわ、かわいそう」と思った自分って何なんだろう。まず目が見えないのがかわいそう、そして、あれを周りの大人が無理やりやらせてたらかわいそう。というのは、お世辞でもうまいとは言えなかったからでした。

健常者の音痴が路上ライブしてたら「帰れへタクソ」とか思うけど、もうちょっとやりようがあるだろう、というようなパフォーマンスでも、盲目の少女っていうだけで何も言えない、というか思っただけでも人非人のような気がするのって、これまた何なんだろう。「盲目の少女、天使の歌声」みたいな大仰な看板が期待をあおるだけに、なんとなくずっこける感じがする。

彼女が歌が好きで、路上ライブをしたいっていう本人の希望があって、かつそれが視覚障がい者だからっていうことは抜きにして聞くに堪えるものであるならいいかなー、と思うけれど、「～であるならいい」っていう時点で強者の上から目線みたいで、それもイヤなんだよだなぁ。

などと考えながら通り過ぎる。

わざわざ彼女の歌を聴くために足を止める人はいないみたいだった。

あの子は近所に住んでいるんだろうか。機材もあるし、行き帰りが大変だろうから、親御さんが車で近くにスタンバってるんだと思うけど……。なかなか心の中での落としどころがわからない景色であった。

長ーいソフトクリームの小20元を買う。バニラとチョコのミックス。何味だかわかんない真っ黄色とか超ピンクの化学的なやつに手を出す年齢は過ぎたと思う。ちょっと水っぽかった。形が崩れないように氷とか入れてるのかもしれない。

イカの姿揚げなんかも売ってて食べてみたいが、一人で1個は多いから、いつか誰かとシェアしよう。

廟に寄ってごあいさつ。まだどうすればいいのかわからず、まごまごする。アパートまでの坂道を上る体力は尽きたので、淡水駅からバスで帰る。

ゴミおじいちゃん

夜はゴミ捨てがあります。これも出不精の私にとっては、台湾の街や人間の営みを観察する貴重な機会。

地域によってゴミ収集トラックが通る時間が違いますが、うちの近所は21時くらい。水曜と日曜が休みで、それ以外は毎日収集に来ます。

新北市指定のピンクのゴミ袋がコンビニに売ってるので、一般ゴミは指定ゴミ袋に。それ以外は生ゴミとリサイクルゴミに分けて出します。

時間が近づいてきたので表に出ると、みんな、誰が言ったわけでもなくきちんと並んでる。老いも若きも。男も女も。このなかにはたぶん、金持ちも貧乏人もいる。ゴミの前では全員平等なのであるなあ。

行列の横をふと見ると、錆が入った一輪のリヤカーを引いた、腰の曲がった静かなおじいちゃんが、無言でひたすらリサイクルゴミを仕分けしています。

私はまだリサイクルゴミが溜まってないので、用はないんだが、明らかに市のゴミ収集担当職員ではなさそうな風貌……。資源ゴミ持ち去り禁止条例の国から来た私は、リサイクルゴミが溜まったらこの人に渡してよいものだろうか、と横目で見るばかりだった。

燃えるゴミを出すために道に並ぶとき、おじいちゃんは毎晩そこにいた。

もともとは白だけど長く着てるから黄ばんで汗色になったポロシャツ、くたびれた黒い長ズボンにベルトもしていた。ゴミ集めなのに、意外ときちんとした格好してるんだよな～。

そんなある日、ついに私もリサイクルゴミが溜まったので、いそいそとゴミ捨て待ちの行列へ。で、ほんとはダメなのかもしれないけど、おじいちゃんにゴミ袋を渡してみました。なんのことはない、おじいちゃんはそれを無言で受け取り、無言のままサクサク仕分けし始めました。その手は日に灼けて真っ黒だったけど、この灼け方だから汗色のポロシャツが似合っていて、働く人って感じで、なんなら好印象ですらある。条例とかどうでもよくなってくる。

リヤカーの前に突っ立って、おじいちゃんの手の動きをボーっと見てたら、驚いたこと

第3章

に袋だけ返してくれました。私が、袋を再利用したくて待ってると思われたみたいで。

いいえ、私はおじいちゃんの働く姿に見とれていたんですよー。もちろん中国語ができない私は、そんなことを伝えることもできず、「あ、謝謝《シエシエ》」とだけつぶやいて、空になったゴミ袋を受け取り、ゴミ捨ての列に戻りました。

なんとなく、市のトラックに入れるより、こっちのおじいちゃんに渡してよかったかも、と思ったのでした。

しかし日本だったら、市が認めていない個人や業者のゴミ回収なんて、正義の仮面をかぶった誰かが目ざとく見つけて通報しそうだけど、台湾はそういうことがないんだなあ。それにゴミの回収ならいくつになっても、元手がなくても始められるもんね。

台湾のこういうところが好きだ。

たくましい人間の営為を目の当たりにして、生きていく気力ってやつが湧いてくる、というと大げさに聞こえるかもしれないけど、台湾の道端には、忘れてたことを思い出させてくれるできごとが多いと思う。

ゴミ収集車を待ってる間、私以外にも列に並んでる人が次々とリサイクルゴミをおじいちゃんに渡していた。ほぼ空っぽだったリヤカーはみるみる満杯になっていく。ゴミじいちゃん、このあたりじゃけっこう愛されてるのかもしれないね。

やがて「乙女の祈り」が聞こえてくる。台湾のゴミ収集車は、毎晩近所迷惑も顧みずこのメロディを爆音で鳴らしながらやってくるんである。待っていた民衆はバイクと車の排気ガスと臭気にまみれながらセルフでゴミを投げ込み、ゴミ捨ては無事終了と相成るのでした。

たまに間に合わなかった若い大学生がゴミ収集車を追いかけて全力疾走してるのは、台湾らしい風景。

おもてなしということ

雨の多い台湾では、ゴミ待ち中に雨が降ってくることもままあります。

台湾の雨は長く降り続くことはあまりなくて、止み間がけっこうあるので、あわてず騒がず軒下に避難すればＯＫ。だいたい20～30分もすれば止むことがほとんどです。

あるときも雨に降られて、コンビニの軒下で雨宿りしていました。日本と違ってゴミを道端に置きっぱなしにしないから、これだと猫やカラスに荒らされなくて（**台湾にはカラスがいないけど**）、ゴミ捨て場を設ける必要もないんだよなぁ、とか考えてボーっと突っ立っていたら、何やら私に折り畳み傘を差し出す手が。

ふと見ると、コンビニの向かいにあるフライドチキン屋のお兄さんでした。何度か買いに行ったことがある私を覚えてくれていたようです。このお兄さんは、見たところ40恰好で、格闘技でもやってるのかというくらい体格がいいんですが、フライドチキンを作ってるときの動作がまったくブレなくて、安心感があるんです。ふーむ、あれは体幹がかなりしっかり鍛えられているに違いない、などと考えながら調理を眺めてるのが楽しくて、私もよく覚えてた。

とっさのことで日本語で傘のお礼を言ってしまったんですが、お兄さんはニコニコして店へと帰っていった。傘も持たずに濡れながら。

いや、私この日は何も買ってないんですけどね。

こういうことが台湾でフツーに頻繁に起こるので、つい我と我が国のことを振り返ってしまう。たとえばオリンピック招致のときに、フリーアナウンサーが「お・も・て・な・し」と日本の美徳のように言ってたけど、私が実際住んでたときの感想としては、「お金を持ってる人しかおもてなししてもらえない」だったので、その対外アピールと現実のギャップに激しくモヤモヤしたこととか。果たして東京は、そして日本は、お金を持ってない外国人にも平等に「お・も・て・な・し」をできるんだろうか。

翌日、借してくれた傘と、日本から持ってきたブラックサンダー限定版を片手に、お兄さんの店にフライドチキンを買いに行ったのは言うまでもない。

散歩すると季節迷子になる

台湾は暑いので、昼間の炎天下に散歩するのは自殺行為です。なので近所を散歩するときは、夕方、暑くもなく暗くもないマジックアワーに出かけることにしています。近所の大学構内が定番コース。

大学は戦前からの中国庭園や建築が残っていて、散歩するのが楽しいのです。敷地内にはいくつもベンチやテーブルがあって、休憩しながら歩けるのもうれしいところ。途中、花や木の説明看板を写真に撮って、あとで調べたりもします。日本にもある花を見つけるとうれしくなる。微妙に異なっていたり、まったく同じだったりして。

私が散歩のお供によく摘むのが、アロマティカスという多肉ハーブ。形も香りもミントに似てるんですが、やはり日差しが強いからでしょうか、日本に生えているミントよりも大型&肉厚でみずみずしく、ちょっとサボテンっぽい。葉っぱをプチっとちぎって手でもみ、においを嗅ぎながら散歩するのが好きです。近所の道端に年中自生していますが、やはり暑い日にあのさわやかなにおいを嗅ぎたくなります。

日本と同じものでも、季節がちょっと違ったりするんですよね。

日本では梅雨の季節に咲くクチナシが、台湾では5月に咲いていたり、山のほうでは桜が2月に満開になる。

台湾のほうがだいたい1か月程度、早く咲く……というわけでは必ずしもないようで、日本ではほんの2週間くらいで散っていく秋の風物詩・キンモクセイが、台湾では12月から2月ごろまでずっと咲いていて、あのさわやかな芳香が楽しめます。

東京で隠居生活をしていたときによく摘んで食べていたノカンゾウという野花も見つけました。つぼみが「金針菜《きんしんさい》」という中華食材になるくらいなのでもちろん台湾にも自生してるんですが、東京では6月に咲いていたのが台湾では10月に花開いたりしています。ちょうどそのころ、日本では夏の終わりを告げるツクツクボウシが、あのウジウジウジ～という独特の鳴き声を響かせています。あれ、いま梅雨だっけ？　それとも秋だっけ？

……う～ん、慣れない。

台湾に住んでから、ずいぶん季節感が狂ったように思う。

豆乳売りの女の子

朝、台北市内の行天宮《シンティエンゴン》にお参りに行ったら、駅前で女の子が一人、豆乳をたくましく売ってました。

台湾の街角では、若い女の子に限らず、一人で屋台を引いて営業してる姿を日常的に見ます。豆乳のほかには、サンドイッチ、飯糰《ファントウアン》（台湾おにぎり）、蛋餅《ダンビン》（ネギと卵を焼き、クレープ状の生地で巻いたもの）なんかの屋台もよく見る。

豆乳は、台湾ではポピュラーな朝のドリンクです。見てると意外とコンスタントに売れていく。通勤途中にバイクで乗りつけ、おそらく同僚の分までたくさん買っていく人もいる。台湾特有の、ピンクのストライプ柄のビニール袋にがさがさっと入れて。ザ・台湾の朝、って感じ。

１杯20元の豆乳を売って、家族のごはんを買えるだけの日銭を稼ぐこと。まじめに作って、商いをして、そして生きていくこと。あの女の子が売った１杯の豆乳が、誰かの忙しい朝に寄り添い、その日をやっていく活力になっているかもしれないこと。

あまりにも小さすぎて、そんなこと、売ってる本人すら気にも留めないかもしれない。あんまり愛想ないし、客の止み間にはスマホいじってるし。でも豆乳は買われた先で、たしかに誰かの一日を少しだけ変えてるんだよなぁ。


それを買っていく人たちがたくさんいる、というのもなんだか安心する。

だって豆乳なんて、流行最先端でもファンシーでもない、だからわざわざガイドブックで取り上げるほどでもない昔ながらの地味な飲み物ですよ。それがこうして毎日売り切れるくらい買われているのを見ていると、社会の末端の地道な個人商売を支えているのは間違いなくこの人たちなのだな〜と思う。


台北って台湾でも最大の都市だけど、こうして立ち止まったときに目に入ってくる人間の生活風景が、ものすごく地に足がついていて、どっしりとした感動があります。この感動は要するに、**日々をコツコツ生きてる姿に対する尊敬の念**でできているのだな。いつまでも見ていたい。

東京では、みんな早歩きで、自分のことだけに忙しそうで、そんなふうに思ったことがなかった。

朝からいいものを見た、と思ったのでした。

自由謳歌の樹木たち

外を歩いていると、人間だけではなく、街角の自然にも目がいきますよね。街路樹なんかを比較してみると、自然に対するその土地の人の態度がわかるようで、興味深いです。

私が東京で隠居していたころ、最寄り駅がJR国立《くにたち》駅でした。

メインストリートである大学通りは街並みがよく整備されているだけでなく、美観を大切にしていて、桜並木も元気で、散歩しているだけで楽しかった。

でも、その他の街を歩いていると、見るも無残に枝を切り落とされてヘンな形になっている街路樹をたくさん見た。

はじめは冬だから葉が落ちちゃってるのかな、と思っていたけれど、春になっても、夏が来ても、あるかなきかの力をふりしぼって産毛みたいな葉っぱをひらくだけ。

人間の都合で勝手に植えられて、勝手に枝を切り落とされて、どうしてこんなことになっちゃったんだろうか。葉っぱが庭に落ちてくるからなんとかしろとクレームがくるとか、成長すると電柱の邪魔になるとか、いろんな理由があるようだけど、「木なんだから、そんなこと最初から予測できただろうに」とつっこまずにいられなかったものでした。

ご神木とか、特別な木ならありがたがって大事にするのに、そのへんの木に対するこの冷たさや無関心さはいったい……。

日本人の自然に対する感覚ってこんなんだっけ？

で、台湾なんですけどね。

いやもうめっちゃ元気なんですよ、木が。廟の敷地内に生えてる神聖な木はもちろんのこと、ふつうの住宅街から、観光地やおしゃれなショッピングストリートまで、**あらゆる木が自由にのびのびと枝を伸ばせているのを見るとうれしくなる。**

私が好きな木のある風景は、大学のある丘を下りて駅に向かう階段です。

この両脇には、モクマオウの大木が生い茂っていて、10月ごろになるとフワフワの葉っぱが大量に落ちてきて、まるで茶色いじゅうたんを敷き詰めたみたいにフカフカになるんです。これを滑らないように気をつけてゆっくり上り下りするのは、私だけの秋の風物詩。

さらにこの大学内にバス停がいくつかあるんですけど、私はガジュマルの大木の下でバスを待つ時間が好き。

ここはバス停といっても、何の標識もないんですが、あるときバスが停まることを発見してから、必ずここから乗るようになりました。で、台湾のバスって時間にゆるくてけっこう遅れるんですけど、木陰にいい風が吹くので、気持ちよく待ちぼうけしています。

あとは、うちの近所にある、名も知らない低めの常緑樹も好き。

バス停までの途中にあるので、出かけるときは「いってきます」、帰宅したときには「ただいま〜」と、必ず葉っぱにタッチしてあいさつ。

なんとなく、「ピーター」って感じなので勝手にそう呼んでいるんですが、もう儀式のようになっていて、日本から台湾へ戻ってきたときなんかピーターに会えるうれしさもひとしおです。

ピーターはコンクリートからいきなり生えているストリート系の(?)ワイルドなやつで、看板とかももちろんないので何の木かいまだにわからないんですが、そんなどこの馬の骨かもわからない木でも、切り倒したりしない。

台湾はどんな木でも差別しないのです。その国の自然に対する態度と、人に対する態度

第3章

は似ている、とは言い過ぎかもしれないが、少なくとも木にとっては、台湾のほうが生きやすい環境なんじゃないかなあと思ったりします。

散歩のお供にタピオカミルクティー

台湾といえばタピオカミルクティー、ですよね。台湾ではフレーバーの流行(最近だと**黒糖系とか**)はありますが、基本的にタピオカミルクティー自体は定番ドリンクになっています。

安いので、私はよく散歩や夜市のお供に買います。

タピオカミルクティーに限らず、台湾のドリンクは、小さめのバケツか？　っていうサイズで、50元くらい(約180円)で買えるものが多いので、値段を気にせずグビグビいけるんです。私は冷たいドリンクだとお腹をこわすので、氷を抜いてもらいますが、その分ドリンクをドバドバ入れてくれます。氷を抜いた分、ドリンクがカップに半分しか入っていない、などというみみっちいことをしないのが台湾のいいところ。

ちなみに台湾のドリンクスタンドって街中にたくさんあるんですが、タピオカミルクティーも少しずつ違います。

私の観察したところでは、「50嵐《ウーシーラン》」は店舗数とタピオカの量が最多。「清心福全《チンシンフウチユエン》」はキャラクターとのコラボや、新フレーバーの開発に積極的。「COMEBUY《カムバイ》」は香港式なので、濃いめのミルクティーで飲みたいときに。一杯ずつ丁寧に入れた本格派を座ってゆっくり飲むなら「春水堂《チユンシユイタン》」。と、このように、そのときの気分で飲み分けています。

＊　＊　＊

深夜に女の子が一人で表を歩けるほど治安がよい

台湾は、世界的に見ても治安はかなりよいです！

私の住んでいる淡水のエリアは、小さな夜市が毎晩開き、大学が多いこともあり、道端やコンビニに深夜まで学生たちがたむろしています。夜遅くに女の子が一人で歩いているのもよく目にします。

日本以外にそんな場所があるとは……とビックリしたものですが、治安がよいとはいえ、やはり危ないとされている場所もあります。街灯が少なくて暗い道や、浮浪者が多いようなところは深夜に一人で歩かないなど、基本的なことを注意していれば、そうそう危ない目に遭うことはないでしょう。

台湾の路上生活者たち

台湾にも路上生活者はいます。

台北だと、台北駅の駅舎をぐるりと囲むように、いつもたくさんの人が段ボールなどを敷いて、寝泊まりしています。女性の姿もちらほら。なかには、夫婦かな？　と見える男女二人組も。考えてみたら、マイホームが台北駅から徒歩0秒ってすごいな。

街中で、路上生活者にお金や食べ物を渡す人も、日本より頻繁に見かけますね。

そうするとどうなるかというと、自分も路上生活者に何かをあげる心理的ハードルがぐーんと下がるんですよね。みんなやってるし〜、みたいな。

というか、私は日本でもたまに食べ物をあげたりしていたんですが、なんかどうも日本では、こういまひとつサッパリといかない感じがしていました。

ひとつには、世間の無関心と、自己責任的な風潮が混ざってできた深い溝のようなもの。あれを越えていくのにまず若干の心労が発生。

そしてもうひとつには、路上生活者のみなさん自体が、食べ物を渡しても、もう感情が起動しなくなっちゃってる、というのかな。

人間が本当につらいときって、感情をＯＦＦにしないと、いちいち泣いたり、反応してたら心がもたない。でも、「無感情・無表情」がデフォルト、という状態に一人の人間が行きつくまでに、どんなことがあったのかと想像すると、なんとも悲しくなってしまうんですよね。

なかには、「こりゃどうしようもねーな」っていう人もいると思うけど、私が目撃した台湾の路上生活者に限っていえば、感情を捨てていないというか、むしろそこらへんの無表情な日本のサラリーマンより感情が豊かかもしれません。

私は日本に一時帰国する際、彼らに食べ切れなかったフルーツなんかをあげてから空港行きのバスに乗ることにしています。

余ったバナナ片手に、台北駅からバス乗り場へつづく東出口を出ると、すぐそばに、地面に段ボールを敷いた、黒いニット帽のおばちゃんを発見。

サポートしてくれる人がいるのか、髪もぼさぼさというわけでもなく、頬の肉付きもよく、栄養が足りてる感じ。靴もちゃんと履いていた。外見は意外とふつう。

で、バナナの房を差し出して、「みんなで分けて食べてね」って周りの路上生活者たちを指さしながら渡すと、**花が咲いたみたいなはじける笑顔で「謝謝《シエシエ》～！」って爆裂感謝が**

飛んできました。

私がちょっと離れて振り返ったら、手なんか振っちゃって。ほんとにかわいくて、笑顔がこっちまでうつっちゃう、みたいな。

そんな台北駅、あるとき駅舎の横を通ったら、黒い大きな袋が壁沿いにドカ積みされていました。

遠くからは土嚢みたいに見えて。

あれっ、もしかしてあの人たち、排除されちゃったのかな、と思って近づいたら、「○○慈善事業」って書いてあって、ただのチャリティ団体の寄付みたいでした。さすがに中身までは確認しなかったけど、それにしてもこんなにたくさん!?

台北駅って、日本でいうところの東京駅。東京駅で、こんな光景はまず見たことがない。

また別の日。

取材の仕事があり、たくさんいただいて食べ切れなかったお弁当を抱えていた私は、駅前に向かいました。ここには、いつも『BIG ISSUE』を売っているおじさんがいるのです。雑誌のロゴが入ったオレンジのベストを着て、持参の椅子におじさんは座っていました。

私はいかにも「チャリティしてまーす」みたいに見えるのがどうも照れくさく、いつもサッと渡してサッと去ることにしているので、そのときも「これ食べてね」とお弁当を渡して去ろうとしたんです。するとおじさんが私を引き留めました。

何かと思ったら、「お礼に」といって、最新号の『BIG ISSUE』をくれると言うんです。大事な売り物を！

「そういうつもりじゃないので」と言っても頑として譲らない。

「じゃあお金を払わせてください」と言っても断固拒否。

台湾に暮らしているなら考えなくてもわかる、お弁当なんてひとつせいぜい100元程度。そして『BIG ISSUE』も、一部100元。

ああこれは、このおじさんの、「自分はもらわない人間になるんだ」という意志の発現であるのだな、と私は受け取った。これは尊重しなければと思い、一部もらうことにしたのでした。

二人でお礼を言い合っていたら、いつもは通り過ぎるだけなのでわからなかったけど、ずっと外にいるからか、おじさんは太陽によく灼けた土みたいなにおいがした。

駅前の人が多い通りに長く立ち止まりすぎたので目立つのが気恥ずかしく、足早に立ち去りながら、日本だと路上であんな人間っぽいふれあいにはなかなか出会えないなーと思いました。

いまも台湾のアパートにはあのときの『BIG ISSUE』１１０号が置いてある。表紙はなぜか日本の週刊誌『女性自身』を手描きのイラストにしたもので、いまでもあれを見るたびにあのヴェンダーのおじさんを思い出します。


台湾は、他にも弱者にとって労働という形での社会参加の道がたくさん用意されているような気がする。

台北中心部に行くと、よく道端で、青いベストを着けた車いすの物売りを見かけます。こまごました生活用品とか、お菓子なんかを売ってる。付き添いの人がいるので、どこかの慈善団体がサポートしているんだと思う。台湾ではトイレに紙がないことも多いし、また夜市では必需品なので、私はたまにティッシュを買っています。１００元で、小さな個包装が10パックくらい入ってるやつ。サングラスをしているので表情がよくわからないけど、お金を手渡すと首を少しこくんと振ってくれるので、それが「ありがとう」の意味だと思う。

玉蘭花を買う

あと見かけると必ず買うのは、玉蘭花《ユイランホワ》。道を歩いてると、**なんとなくふんわり柔らかい花の香りがすることがあって、そんなときは必ず近くにこの花売り娘がいます。**

玉蘭花は日本語でハクモクレン。4月ごろ、桜のあとに咲くあの白いぽってりした花ですね。台湾で売ってるのは、若い小ぶりの玉蘭花で、5〜6㎝くらいの長さのものを3つ針金に通して、輪っかにしてくれてます。

電動車いすのおばちゃんが、赤いプラスチックのカゴにでっかいバナナの葉みたいなのを敷いて、その上に玉蘭花を並べています。1串20元、3串50元。けっこう売れてるみたいで、車のバックミラーに吊るしたり、カバンにつけたりする人もいるらしい。

おばちゃんは帽子にアームカバー姿で、日焼け対策バッチリ。

私が買うのはだいたい午後なので、たぶん一日中外にいるんだと思う。

1串買ったついでに、「あなたの写真を撮ってもいいですか？」とスマホを見せたら、申し訳なさそうに顔を左右に振ったので、花の写真だけ撮った。

あとで台湾の玉蘭花について調べたら、南部の屏東県《ピンドン》から来ていることがわかりました。

玉蘭花は開花時期がとても短く、開花時期を逃すとすぐに枯れてしまう。朝の各都市に届けるためには、農家は毎日花のようすを見て、夕方から手摘みで収穫し、鮮度を保つために冷水につけたあとトラックに載せて発送する。深夜に台湾各都市に届き、そこから各ヴェンダーへと仕分けされ、朝から道端で販売が開始されるらしい。

1串5元（18円）の原価で、20元で売るから15元（54円）の儲け。元手が安くて始められるから、この商売をするのはハンディキャップのある人や、高齢で仕事のない人、貧困世帯が多く、一日中外を売り歩くのでかなりの肉体労働なのだそうだ。

そして、本当は路上で商売するのは申請しないといけないらしいけど、無許可の売り子も多いらしい。警察にバレると罰金が科され、その日の売り上げが飛んでいく。それであのおばちゃんは、写真を嫌がったのかもしれない。

1串買った玉蘭花を、アパートの窓辺にかけておく。風が通るたびに部屋の中に甘い香りが満ちて、気持ちがすっきりするので、街で見かけたらまた絶対に買おうと思う。

台北駅の地下街には、**盲人マッサージ**もあります。

20分で200元〜とリーズナブルで、しかも目の見えない人の収入に貢献できるとなれば、贅沢が苦手な隠居の倹約心も痛みません。

20分〜という時間が、ついでに立ち寄るのにちょうどいいんですよね。私は温泉帰りに、頭・首・肩20分をしてもらいます。

オレンジのベストを着てる人が店のスタッフ＆マッサージ師で、中国語がわからなくてもスタッフが案内してくれるので、それに従ってイスに座ればＯＫ。

イスは通販の健康器具みたいなやつで、斜め前傾姿勢で体をもたせかけます。で、その状態のまましばし放置。

手が空いたマッサージ師さんがやってきて、おもむろにゴリゴリほぐし始めます。力はけっこう強め……。

タイマーが20分を告げ、イスから顔を上げたら小太りの女性マッサージ師さんでした。力があるのか、力の入れ方がうまいのかわからなかったが、肩回りがちょっと軽くなりました。

500元札を渡すと、ものすごくお札に目を近づけて何かを確認し、自分の財布を取り出し、またものすごく目を近づけて、赤い100元札をゆっくり3枚取り出してくれました。

この人は全盲ではなく極度の弱視で、色で判断してるのかもしれない。帰り道、鏡に映った自分を見たら、頭をぐりぐりマッサージされすぎて髪がボッサボサになっていました。

全盲マッサージのあと店を出るときは、髪の乱れを確認すること。

こういうことって、べつに感謝されたくてやってるわけじゃないけど、生まれた環境とか、選べない条件や、運によっては、私だってああなってたかもしれないんですよね。そう思うと、そんなに大きなことはできないが、食べ物をあげたり、彼らの商売を応援することくらい、どうってことはない。

……って、思ってる人が、台湾には、日本よりもずっと多いんじゃないか!?

実際、玉蘭花の売り子さんは、ほとんど売り切れてることもあるし、地下街の盲人マッサージなんて行列してるときもある。

そういう、コンビニでおつりを募金するみたいに**気軽でちょっとした助けが、街なかにたくさんあれば、**たとえ住む場所をなくしても、なんとかやっていこうと思えるかもしれないですよね。

上のほうにいる人たちや、マジョリティだけが豊かな社会って、なんか貧しくてケチくさい感じがする。**最底辺にいる路上生活者や、マイノリティまで含めてすべての人がキラキラしてる社会**のほうが、私はいいなあ。

台湾では彼女たちもイキイキしている

言葉は悪いが、日本ではブスやデブのみなさんも生きづらい……というか、社会の隅に追いやられがちな存在ですよね。ただそれだけなのに風当たりが強いという点では、路上生活者に勝るとも劣らないと思う。

日本では、ブスというだけで「ブスのくせに日傘を使うな」とかネット上で論争が巻き起こったり、デブというだけで真夏のエレベーター内で舌打ちをされたりします。何なら人格否定もセットになっていたりして。

学校でも職場でも、テレビやインターネットの世界でも、「ブスやデブは暴言を吐いてもいい存在」みたいな風潮、ありますよね。あれって、厳しすぎないか!?

気のせいじゃないと思う。渡辺直美さんのような例外もありますが、彼女だって容姿をネタにいじめられたことが一度ならずあったかもしれない。たしかに日本のブスやデブの人って、話していても卑屈で、自己否定感が強い人が多いな~とは思うけど、そりゃあ人間、否定的な言葉を不特定多数の人から断続的に浴び続ければ、卑屈にもなるだろうっていうのは想像に難くない。

ところが台湾では、ちょっと事情が違います。

街に繰り出せば、ティーン女性雑誌の表紙みたいなおしゃれ&露出度高めな服を着て、軽やかに街を闊歩するブスとすれ違う。

かと思えば夜市では、動きやすそうなゆったりしたTシャツにゴム短パンで、両手にB級グルメを持ち、我が世の春とばかりにドカ食いしながら練り歩く幸せそうなデブがいる。自虐的だったり、こじらせてる感じもない。いっそ清々しくて、こっちまでちょっとハッピーな気分になるというか。

あの自己肯定感の高さがどこからくるのかいまだによくわからないのですが、「なんでブス or/and デブなのに自己肯定感高いんですか?」とか聞くわけにもいかないし……。

もしかしたら、台湾という社会では、見た目で否定される機会が少ないんじゃないかと思う。

というのも、そういうブスと一緒にいるのが、意外とスクールカースト上位ふうの美女だったりするんです。一緒に自撮りなんかして、仲も良さそう。だから美女のほうも、誰とつきあうか見た目で判断していないんじゃないかと思う。

日本で、生きてるだけなのになぜか人格否定される、暴言を吐かれるなどする方は、いちど台湾に来てみてはいかがでしょう。

その後の夜市

いまではすっかり夜市にも慣れて、台北に行ったら必ず夕食は夜市で食べてくるまでになりました。

というのも夜市って、観光地化されてるところもあるにはあるけど、基本的に台湾人の日常に寄り添う形で始まったんですよね。

夜市の近くには、必ず廟がある。信心深い台湾の人たちは毎日廟にお参りに来るので、次第にその周辺に屋台が出始め、じゃあごはんでも食べて帰ろうとなり、屋台がどんどん増えていき……そうしていまに至るわけです。

さて、ガイドブックに載ってたり、行列のできるような人気店をひと通り食べ終わると、だんだん物足りなくなってきた私。なぜかというと、有名店や人気店は、たしかにおいしいんだけど、その屋台に何の思い入れもなさそうなバイトっぽい人が作ってたりとか、流行りすぎて過大評価されているのでは……と思うケースも多いんです。一食入魂、という暑苦しいけれど、せめて自分のとこで出してる食べ物に対する自信や敬意や思い入れが感じられる店にお金を使いたい。

そこで私は、どの屋台で食べるかの基準に迷ったら、「店主の雰囲気」で決めることにしました。

まず、アルバイトや雇われ店長じゃなくて、家族経営や、オーナーが直接自分の手で作ってるところは、のんびりとしていても顔に緊張感がありますね。店の味が売り上げ、そして存続に直結するからです。お店や道具がどう使われているかもチェックします。よく手入れされ、長くきれいに大切に使われているか。そしてとりわけ、調理の動作に無駄がなくて美しいこと。要するに、「これが食べたい」ではなく、「この人が作っているものなら食べたい」と思えるかどうか、が決め手です。

これをすべて達成し、隠居の殿堂入りを果たした屋台が士林夜市にあります。

とある路地にある潤餅の屋台。

ちいさなおじいちゃんとおばあちゃん（推定70歳）がやってる屋台で、白地に赤字で「潤《ルン》餅捲《ビンジュエン》」と書かれた看板が目印。老牌子《ラオパイズ》と書いてあるので、老舗っぽい。でも屋台はきちんと手入れされ、清潔感があります。

このお二人、顔も動作もよく似ててかわいらしいんだけど、きっと長年のカンなのでしょう、息の合った作業で、最小限のコミュニケーションで最大限の情報のやりとりをしてる感じが伝わってくる。

薄いクレープ生地の上に温野菜、紅焼猪肉《ホンシヤオヂユーロウ》（豚肉の醤油煮込み）、豆干《ドウガン》（押し豆腐）を、ホイホイっと決まった順番で載せていく手つき。ピーナッツの粉をふりかけ、必ず最後に「パクチー入れる?」と聞いてくれる。そしてくるくるギュッと巻いて袋にイン！

受け取ると、けっこうな重量感。味つけは甘めで、大量の温野菜の柔らかくまるい味のなかに塩気とパクチーのパンチがある。

最後に買ったときは40元だったかな。ここで潤餅を買うと、なんだかすごくいいものを見せてもらったような気がして、**胃袋だけではなく、気分が満たされて幸せなのです。**

たぶん、探せばもっとおいしい潤餅はあるんだろうけど、私が士林で潤餅を買いたいと思う店主はここだけ。小さな屋台なので、ガイドブックで紹介されてるのを見たこともなければ、Googleマップでも出てこない。そしてご高齢のせいか、お店を出していないときもあるので、あと何回食べられるかわからない。見かけたら必ず買うことにしています。

このようないくつかの経験を経て、夜市は私にとって、観光ではなくすっかり日常の一部になりました。

この先10年台湾に暮らしたとして、きっとそのころには、あの潤餅の屋台はなくなっていると思う。でも士林夜市はたぶん存在してて、同じ路地を歩くときには、あの潤餅と、それを美しい動作で作っていた老夫婦がいたことを思い出すんだろうな。そういう予感がする。

いい予感を、日常にひとつずつ増やしていきたい。

【閑話休題】台湾ならではのおみやげ

台湾のおみやげというと、もうけっこうマンネリになっている人も多いかもしれません。私なんて、あるときパイナップルケーキを渡したら、「今年で4個目…」と言われたことがあります。

そこで、絶対に喜んでもらえるパイナップルケーキの裏技を紹介します！

それは、専門店のいちばん高いパイナップルケーキと、スーパーで売ってる一番安いパイナップルケーキをセットにして渡すこと。

パイナップルケーキの食べ比べセットなんて、どこにも売ってないですもんね。

このように、定番すぎるおみやげでも、アイデア次第で喜んでもらうことはできるのです。

あとは、たぶん需要が少ないのであまり雑誌などで特集されない分野のおみやげは、まだあります！

私がよく買うおみやげ、それはヴィーガン（菜食主義）食品。

日本で買うと高いけど、台湾では精進料理がもはや庶民的なジャンルのひとつとして確立していることもあり、スーパーやコンビニで安くて気軽にヴィーガン食品が買えちゃうんです！

思いつくものから、紹介してみます。

＊　＊　＊

隠居が選んだヴィーガン食品みやげ6選

❖インスタントラーメン

いちばんとっつきやすいのは、これだと思います。

私が自宅用によく買うのは「味丹《ウエイダン》」というブランドの「随縁《スイユエン》」シリーズ。お気に入りの味は、いちばんあっさりしている「鮮蔬百匯素湯麺《シエンシューバイホイスウタンミエン》」（雑多な野菜味）。5食入りで75元（270円）くらいです。

袋麺ですが、お湯を注ぐだけで食べられるのでキッチンがなくても作れて、冬など重宝しています。ポイントは、粉末スープと調味オイルの2種類がついてるんですが、調味オイルを使わないこと。台湾の精進料理は油っこいので、薄め薄めがちょうどよい。

もちろんカップラーメンも豊富です！

❖素肉《スウロウ》の缶詰（青葉《チンイエ》の頂級素嚕《スウルウ》）

味付き大豆肉の缶詰です。日本ではあまり見かけないので、おみやげにもよく買う。そのままでも食べられるし、サンドイッチにはさんだり、乾麺に入れたり、ご飯に添えても、野菜とともに炒めてもよし。1缶30元（108円）くらい。

❖カレールウ

油が植物性なので、ふつうのカレールウよりもさらっとしていて、鍋や食器洗いが格段にラク。

言わなかったらヴィーガンとわからないかもしれない。1箱3人分で35元(126円)くらいから。

❖沙茶醤《シャーチャージャン》

台湾ではどんな家庭にも1つはある、万能調味料。チャーハンに麺類にスープに何でも使えて、これだけで独特の香辛料の風味が加わります。ドレッシング代わりに、生野菜サラダにあえるだけでも美味。ふつうはヴィーガン食材ではないんですが、同じ棚をよく見ると「素食」バージョンもあります！ 小瓶だと50元(180円)くらいから。

❖こんにゃく玄米ロール

穀物で作られたスナック菓子で、台湾版うまい棒といった感じ。このお菓子、なぜか商品名や注意書きまで日本語で書いてあるので、見つけやすいと思います。たまご味やのり味はよく見かけます。私は「たまご味」が好きです。1パック39元(約140円)くらい。

❖粉末飲料類

バラマキやすい粉末飲料。私がよく買うのは、「杏仁茶《シンレンチャー》」や「擂茶《レイチャー》」。「擂茶」はナッツや穀物がたくさん入った栄養満点の客家《はっか》のお茶です。一度取材で作ったことがあるんですが、材料をすり鉢でするところから始めて、1杯作るのに15分くらいかかりました……。なのでお湯を注ぐだけで作れるのはうれしい。1袋100元(360円)前後。

ぱっと見、どれが素食でどれが素食じゃないのかわからない……という方にも心配ご無用。素食のものはパッケージのどこかに「素」という文字がついてます。「全素《チユエンスウ》」「純素《チユンスウ》」なら完全ヴィーガン仕様。「奶素《ナイスウ》」なら、ベジタリアン仕様だけども乳製品は入っている、「蛋素《ダンスウ》」なら卵は入っている、といった具合。

このあたりはさすが精進料理先進国だけあって、どんなタイプの菜食主義に対応しているのかがひと目でわかってありがたいですよね。

これらは、スーパーやコンビニでもふつうに売っているものばかり。新しい台湾みやげに困ったら、ためしに買ってみてはいかがでしょう。

でもやっぱり、**いちばんの台湾名物って台湾人**だと勝手に思っています。とはいえこればっかりは売りものじゃないので、自分で出会って交流してもらうしかない。台湾に旅行に来たら、ぜひぜひ地元の人と仲良くなって帰ってくださいね〜。

第4章

台湾で隠居するということ、あるいはマイノリティである、ということ

1 コロナ禍の台湾

２０２０年の世界的大ニュースといえば、新型コロナウイルスのパンデミックで間違いないでしょう。発生源である中国のすぐ隣という位置関係のため、台湾も大いに影響を受けました。が、台湾はどこよりも迅速な対応で、感染封じ込めに成功しています。10月10日（２０２０年）時点で、死者はたったの7人。市中感染は半年以上ゼロをキープ。ＷＨＯにも加盟を許されていない小さな国が、自力でここまでの成果をあげたことに、日本だけでなく世界中から注目が集まりました。

コロナ禍の初期、私は台湾にいましたが、たしかに初動がとにかく早かった。最初の緊急閣僚会議が開かれたのは２０１９年12月31日。まだＷＨＯからも何の発表もなかったときに、です。そして2月6日には中国人の入国を完全に禁止しました。その間、衛生福利部長（大臣）の陳時中《チエンシーヂョン》さんが政府を代表して毎日休みなく定時に記者会見を生配信。ネットやテレビで彼の姿を見ない日はなかったくらい。あの徹底的な情報開示があったから、台湾に住むすべての人は分断することなく連帯し、比較的落ち着いて対応できたと思う。

また、マスク政策も注目を集めました。

台湾でも早々に店頭からマスクは消えたんですが、どうするのかな〜と思っていたら、台湾政府は速やかにマスクの海外輸出を停止&自主生産に切り替え。生産したマスクはすべて政府がまず買い上げ、そこから各店舗に配布することを決定しました。IDを提示する実名購入制で、大人一人当たり週2枚までの販売。

さらに行列を防ぐため、全国の薬局にどれだけマスク在庫があるかひと目でわかるアプリまで開発しました。

わずか4日間で開発されたというこのアプリを主導したのが、デジタル担当大臣のオードリー・タン(唐鳳《タンフォン》)さんです。

タンさんは1981年生まれの現在39歳。2016年蔡英文政権発足時にデジタル担当大臣として入閣。議事録や統計を国民が誰でも見られるように、オープンガバメント(http://data.gov.tw)を推進し、徹底的に透明化しました。

このサイト内には、国民と政府の対話のプラットフォームもあります。ここでは市民が子供から大人まで誰でも、社会をよりよくするためのアイデアを提案できて、賛同者が5000人を超えたら政府は公式に対応しなければいけないんです。

私ものぞいてみましたが、デザインに優れ、簡単で見やすく、公開データも超充実している！

「テクノロジーは人のためにある。テクノロジーに人が迎合するのではなく、誰でも使えることが大切」というタンさん。

テクノロジーの知識があるだけではダメで、それをどういうふうに使っていくのか、というところにその人の人間性や哲学が表れる。タンさんが国内外からの注目を集める理由はそこにあると私は思っています。

………………総統の蔡英文さん

さて、コロナ禍で現政権に対する支持率が爆上がりの台湾ですが、そのトップに立つのが蔡英文さん（２０１６年〜）。

蔡英文さんは、マイノリティに対しての理解や配慮が非常に細やかです。

それまでの原住民に対する政府の不公平な対応を初めて公式に謝罪したり、２０１９年に合法化された同性婚に賛成していたのも有名な話だし、毎年10月に開催される台北ＬＧＢＴプライドにも、蔡英文さんは毎回支持を表明しています。

私は蔡英文政権下の台湾に3年間暮らしていて、外国人ということを理由に差別されたことは一度もなく、社会の風通しが非常にいいように思う。

それは総統自身が、実は少数派である客家や原住民を含む多民族を祖先に持ち、社会のマイノリティを切り捨てない姿勢を見せ、公式に発言し続けているから、というのもあるかもしれません。

……………台湾民主主義と李登輝さん

台湾に住んでいると、台湾人の政治に対する熱心さに感心する。

タクシーに乗っても、初めて会った運転手さんと政治の話なんていうのはザラだし、日本に住んでいる台湾人の友人など、選挙のときには投票するために万障繰り合わせて必ず台湾に帰るといいます。「期日前投票とか、在外選挙制度はないの?」と聞いたら、そんなもんないんだって。

2020年1月の総統選のときもすごかったですよ。投票率がなんと74・9%。

しかも戸籍のある町で投票しなければならないので、海外に住んでいる台湾人のみならず、仕事のために都会に出てきている台湾人まで含め、投票するために大挙して故郷に戻る。

だから台湾では選挙のたびに民族大移動が勃発する、というわけなんです。

この台湾民主化のきっかけを作ったのが、元台湾総統の李登輝さん。

1923年、日本統治時代の台湾に生まれ、京都大学に進学したいわゆる超エリート。日台両国で、いちばん有名な日本語世代の人物です。

李登輝さんの最大の功績は、戒厳令が解除された翌年(1988年)、台湾出身者としてはじめて総統に就任し、直接選挙制度(1996年〜)を導入したことです。

台湾人が台湾のことを自分たちで決められるようになったのが、1987年。ほんの24年前ですよ。めっちゃ最近!

戒厳令時代なんて二度と戻りたくないから、みんなとにかく選挙に行く。

だから李登輝さんがいなければ、いまの台湾は絶対にないし、選挙ごとの民族大移動もなかった。「台湾民主化の父」と呼ばれるゆえんです。

7月30日に李登輝さんが逝去されたことは、2020年の台湾で、コロナ禍と並ぶ大ニュースでした。

結局、なぜ台湾がコロナ対応で成功しているのかというと、年齢や性別や出自ではなく、台湾のために仕事ができる人がきちんと適材適所で選ばれているから。またそういう人事ができる政治家を、一人ひとりの台湾人が選んでいるから。これに尽きると思う。文句があるなら選挙行けってことですね。

民主主義ってどういうことなのか、遅ればせながら私は台湾でほんとうに学んだ気がします。

2　日本語世代の人々と出会う

台湾には、李登輝さん以外にも、日本語世代の方々がたくさんいらっしゃいます。彼らは日本語で教育を受けたため、もちろんいまでも日本語を話します。「流暢」というのが失礼なくらい、外国人なまりのまったくない、きれいな日本語です。

で、日本人のHさんに誘われ、台湾歌壇の月例会へ行ったとき、私も日本語世代の方々にたくさんお会いすることができました。

南京東路《ナンジンドンルウ》(台北市)の国王大飯店《グオワンダーファンデイエン》で開催されるこの短歌愛好会は、日本語世代のお年寄りのみならず、若い台湾人や在台日本人まで、毎月多くの方でにぎわっています。

私の席の向かいに座っているのは、90歳のXさん。大学の現役日本語教授だそう。

「生きるためには働くことよ!」と、発言がズバッとしてて気持ちがいい。

「私はもう70年、教師をやってきた。戦後20年は、日本語使用禁止だった。『あのー』なんてうっかり言おうものなら、学校の人事から『ちょっとX先生!』なんて注意されたのよ」

「いまは大学どこにでも日本語学科があるの。英語専攻してても、第2外国語は日本語必須です。高校も、私立校は選択で日本語を学ぶの。観光日本語と、応用日本語ね」

「台湾の若い子の中には、アニメとかドラマで日本語を覚えた子もいて、日本語検定1級。だけど耳で覚えたから、書けない子もいるのよ」

「いまは中学から日本語を教えようという動きもあるの。そうすると、たくさん日本語教師が要るでしょ。追いつかないわね」

短歌の同鳴点を順番に発表している間、紙の隅にさらさらと「東風《こち》吹かば匂ひ起こせよ梅の花主《あるじ》なしとて春な忘れそ」と書きつけていたので、「菅原道真《すがわらのみちざね》、お好きですか?」と聞くと、にっこりして節をつけて「東風吹かば〜♪」と歌ってくれました。陽気!

隣も日本語世代のLさん。若いころは京都大学に留学していたそうです。

「私は中学まですべて日本語教育でした。高校から突然北京語になったものだから、いまでも頭の中は日本語です。ところがいま50代の子供の世代は徹底的に反日教育を受けたものだから、私たちとは母国語が違うんですね。ニュアンスってあるでしょう。それを北京語にはうまく込められないんです。孫とは北京語で話しますが、やはり不自由ですね。でもいまになって、子供たちは日本語を勉強しておけばよかったと悔しがってますよ。現代の台湾では、英語と日本語が話せたら引く手あまたですから」

めっちゃ不思議。ぜんぜん、外国人と話している気がしない。

Lさんも姿勢が正しくて、品のある老紳士。しわのない、薄いブルーのワイシャツの袖なんかにエレガンスってやつを感じる。ときどき話しながら肩に触れたりするのも、すごく感じがよい。

また会ってお話を聞きたいなと思う。そういう人がたくさんいらして、行ってよかった！

それからもうお一人、出不精の私が定期的に会い続けている日本語世代の友人がいます。

それが91歳の台湾人・Gさん。市政府駅《シーヂョンフウ》近くの「牛乳大王《ニウルウダーワン》」というカフェでフルーツジュースを飲んでいると、隣の老夫婦が日本語と中国語を混ぜて会話されてたんです。それで気になって私からナンパしたのがご縁で、ときどき会ってお話しながらコーヒーを飲む仲になりました。

まんまる顔の福の神みたいな好々爺で、帽子にブレイスをして、ステッキ片手に、いつもおしゃれなGさんは、昭和3年（1928年）台湾南部の高雄生まれで恒春《ホンチユン》育ち。

戦時中は、大分の陸軍飛行兵学校に通っていました。志願兵が2万人、そのうち台湾から大分に来られたのは48名。台湾人となるとさらに少なく、12名。いわゆる超エリートです。出征前に終戦を迎え、台湾に帰国し、台南工業専門学校（現在の国立成功大学、台湾南部で最難関）を卒業されました。

いよいよこれからというときに二二八事件（国民党の圧政に対する台湾人の抗議デモ）が発生し、これを国民党軍は機銃掃射で鎮圧。台湾全土に戒厳令が発令されました。日本語は禁止され、少しでも反体制と疑われれば逮捕・投獄・拷問・処刑という恐ろしい白色テロ時代の到来です。

Gさんは北京語を学ぶため、国民党員だと身分を偽って花蓮《ホワリエン》の兵工工種学院に入学。その後はアメリカの軍事顧問団に入り、兵役でアメリカへ……というまるで映画のよう

第4章

な波乱万丈の人生。ダイナミックすぎて、お話を聞いているといつも5時間くらいはあっという間に経過してしまいます。

私はGさんとお話するなかで、ずいぶん台湾の歴史を勉強させてもらいました。

私が驚いたのは、台湾の戒厳令について。1949年から、なんと38年間も続いたということで。そんな最近まで、言論の自由も表現の自由もなかったと思うと、ここ数年の台湾の自由化・民主化には目を瞠るものがあります。

ちなみに、この二二八事件のとき、本省人《ベンションレン》（第二次世界大戦終結以前から台湾に居住していた人々。国共内戦に敗れた国民党とともに大陸から渡ってきた人々とその子孫は外省人《ワイションレン》という）が占拠したラジオ局跡地が、台北駅近くの二二八和平公園《アーアーバーフーピンゴンユエン》内にあります。現在は台北《タイベイ》二二八紀念館《アーアーバージーニエングワン》として、長い間語ることを許されなかった歴史を伝えています。

台湾人の歴史に対する姿勢は非常に冷静かつ客観的で、学ぶところが多いので私も定期的に訪れています。歴史を保存・記録・展示するのは、それによって特定の誰かを責めたり、あるいは自分たちを正当化するためではない。何が起こったのかを決して忘れず、反省し、繰り返さないようにそこから学び続けるためなのだと。

二二八事件の犠牲者は行政院の推計によると1万8千〜2万8千人。いまだに当時のことを語りたがらない人も多いそうです。

アフリカでは、「老人が一人亡くなるのは、図書館がひとつ消えるようなものだ」ということわざがあるそうです。Gさんが90年の歳月をかけて積み上げてきた膨大な知恵や経験をシェアしてくれることは、私にとっても大切な台湾の思い出になっています。

3 名前に執着がない台湾人

ところでいつも不思議に思っていたことがある。

先に紹介したオードリー・タンさんを含め、台湾人って中国語名とは別に英語名を名乗ってる人、多いですよね。

日本人の場合、海外に行ってもヨーコはヨーコだし、ハルキはハルキのままです。

英語名を名乗る場合としては、キリスト教徒でクリスチャンネームを持ってるとか。もしくは「ナオミ」「ジョー」など、たまたま日本語でも英語でも使える名前、というパターンでしょうか。

それで、知り合った台湾人に聞いてみた。

まずは旅行雑誌の取材で通訳をしてくれたHさん。Hさんは、子供のころに英語の先生が英語名つけてくれたんだそうです。だから、本名というか、公的に登録された名前は中国語名なのだと。

次にメディアツアーで知り合った台湾人・Pさんの場合。5～6歳までは「Betty」という名前だったけど、小学校からは自分の中国語名の漢字「Lin」にして、いまはとくに使ってない。誰がつけるかというと、やっぱり英語塾で先生が適当につけるらしい。気に入らなければ、自分で気に入ったものを名乗るということもあるそうです。

というわけで、台湾では英語の通称を持つのは、義務ではないがわりと一般的。希望すればパスポートにも本名に併記することができるんだそうですよ。

私の印象では、芸能界(俳優、タレント、歌手など)で活躍する人は多くが英語名を持っていると感じます。海外でも活躍されている場合は特に(例：シンガーソングライターのクラ

ウド・ルー、女優のビビアン・スー、往年の歌手テレサ・テンなど）。
対して首相や作家、スポーツ選手は、海外で知られていても中国語名のままの方が多いですね**（首相の蔡英文、作家の呉明益、プロ野球選手の陽岱鋼《ようだいかん》など）。**

でも日本人の場合、いくら便利でも、パスポートに英語名を記載してよいと言われても、利便性より慣習を優先しますよね。

通訳のHさんは、「台湾は歴史的にも何度も宗主が変わってきたし、名前もそうだけど、何かが変わっていったり、新しいものを受け入れることにはあまり抵抗がない」と言っていました。

実は本名の中国語のほうも、法的な手続きを経て正式に改名する人、**多いです（「姓」ではなく「名」を）。**人づきあいの少ない私でも、「改名した」「改名を考えたことがある」という台湾人にはよく会います。

改名する人がどれくらい多いかというと、一説には、なんと年間12万5千人。

その理由がまたびっくりで、だいたい「占い」。

というのも台湾では占い（姓名判断）が日常生活に深く浸透していて、人生の岐路にはとりあえず占いに行きます。そして、「画数が悪いから、改名すれば病気が治る」とか、「事業がうまくいく」「結婚できる」と言われるケースも多いらしい。

他には、同じ職場や学校に同姓同名の人がいて、日常生活で不便だから、とか。

そういえば、変わっていくのに抵抗がないのは名前だけでないようで、お店の開店と撤退のスピードもむちゃくちゃ速いです。

私が近所を散歩していると、なにやら新しいお店がオープンしたな~と思っていたら、商売が振るわなかったのか、1~2か月で閉店、というパターン、けっこう多い。

変化に対して抵抗がないからこそ、今回のコロナ禍では、迅速で柔軟な政策&生活様式のシフトにも対応できたのかもしれない、と思ったりします。

4 隠居も病気にかかる

外国人でも行きやすい病院を探して

たまに、夜寝ているときに、「お腹が痛いような気がする！」とか、「心臓がチクッとしたような気がする！」とかで、ハッと目を覚ます。で、「ヤバイよヤバイよ〜」からの、「まいっか、いままで楽しかったし。みんなありがとう……」（ここまで2秒）で寝落ち。翌朝、今日も元気だごはんがウマい！　ってなことは何度かあるんです。寝落ちしたまま苦しまずに死ねるなら、死なんて別に恐るるに足らん。

と、まあ基本はそうなんですけれども、体の不調がずーっと長く続くと、さすがに精神的に弱ってくるもので。

まだ体が南国に慣れていなかった台湾1年目の夏。

暑いのと、食生活も自分にちょうどよく調整しにくい外食が多かったためか、やはり体調を崩しました。

はじめは風邪のような症状があり、風邪は治ったものの頭痛と右側のリンパ痛がずっとつづく。1週間経っても治らない。海外で、一人暮らしで、体調を崩すというのは、かくも不安なことなのか……。

これはいよいよあかんやつかもしれん、と思い、私の持っていた三井住友カードの付帯保険が使えるかどうか、VJ保険デスクに電話してみました。

何度かの電話&メールのやりとりを経て、はじめの電話から3時間ほど経ったころ、「日本語の通じる病院が予約できました。キャッシュレスで診察を受けられます」と電話がありました。

なんて優秀&ありがたいんだ!! はじめの電話と違う方だったので、「他の担当オペレーターの方にもお礼をお伝えください」と言って電話を切りました。

そんなわけで、2回ほど通院して頭痛は治った。無料で。それはたいへんにありがたい。医院にも、カード会社の方々にも感謝しかない。

でもな〜。もっと重症でしんどいときに、あの病院予約までのやりとりを3時間かけてできるか? いやムリだよな。それに郊外から台北市内の病院に通うのって遠いんだよな〜。

ちょっとした体の異常があるときでも気軽に行けるようなかかりつけ医を近所で見つけたい。

漢方というクリニック

そんな折、ふと立ち止まった近所のある診療所。

入口には、「感冒(風邪)、鼻炎、咳嗽(せき)」。ん、耳鼻咽喉科かな？　でもよく見ると、「青春痘(にきび)、皮膚病」。皮膚科もやってるのか。さらによく見ると、「便秘、月経不調、背痛、腰痛、胃腸病、湿疹」挙句のはてに「失眠(不眠)、減重(減量)」……。

大きな総合病院でもないのに、いったい何なんだと看板を見れば、「中醫」の2文字。これは日本でもたまに見かける、あれだ。漢方医、つまり東洋医学の診療所のことなのでした。

私は腰痛持ちであるので、とくにハードな取材仕事のあとは寝返りをうつのもしんどく、使い物にならなくなる。腰痛も改善してくれるならありがたい！

ところで台湾では、台湾人もしくは居留証を持っている外国人なら全員加入している「全民健康保険」（日本の国民健康保険みたいなもの）が使えて、内容にかかわらず1回の診療につき200元で済むんです。しかもカバーされる範囲が広く、病気はもちろん不眠や減量まで!!

ですが、私は居留証のない外国人だから当然、使えない。漢方医って日本では、国保でも適用外の場合が多いから、行ったことなくて想像つかない。めちゃ高かったらどうしよう……。

まあとにもかくにも、いっぺんためしに行ってみた。

受付でパスポートを見せて、「腰痛」と伝えます。診察室に入ったところ、人当たりのいい50がらみのおじさん先生が開口一番、「日本人ですか？　今日はどうしましたか？」とまさかの日本語。こんな郊外になぜ!?

というのもこの先生、東北の大学に留学されていたそうで。もちろん英語も話せると。こんな近所に言葉の通じる診療所があったとは……。

で、診察はというと、舌と喉を見て、脈診のあとベッドにうつぶせになり、腰に鍼をしてもらうことに。鍼も、先生のやり方がうまいのか、思ったより痛くない。

ヒマなので、「全民健康保険に入ってないんですが、診察は1回いくらですか?」と聞いてみました。

「300元(1080円)ですよ」

安っ!!

鍼のあとは腰に薬草蒸しをして、においのきっつい薬用湿布を貼ってもらい、3日分の飲み薬までもらい、診察代を支払って終了。この間約30分。

まあ西洋医学とは違うので即効性はないんだけど、腰痛、たしかによくなった気がする。

これで300元。安くないか!?

しかも腰痛以外でも、どんな症状でもOKときたら、通うしかないっ!

こうした漢方医や鍼灸院って、台湾では街中で見かけます。だから台湾の市街地ならどこで隠居しても(**いや隠居しなくてもいいんだけど**)、近所に必ずある。かかりつけの漢方医を見つけておくだけで、心強さハンパないです。

保険適用外の外国人である私でも1000円程度で診察してもらえたし、何ならマッサージより安いので、観光客でも気軽に行けそうですよね。

最近はメディカル・ツーリズムという言葉もありますし、台湾リピーターでもう観光し

第4章

つくした、という方は「中醫」目的の旅行もいいかもしれません。

ただし、やはりあとから高額を請求される場合もあるそうなので、診察代は受付ではじめに聞いておくと安心です。で、いい感じだったらかかりつけにしましょう。


それからもうひとつ、病院ではないのですが、病気にならないように行く場所があります。

それは「保安宮《バオアンゴン》」。医学の神様・保正大帝を祀る廟です。

圓山駅の近くなので、私は週末の花博農民市集のついでによく行きます。

台湾に引っ越してからしばらく、メインのお参りは台北市内の龍山寺だったのですが、アラサーを過ぎるともう神様にお願いすることなんて「健康」くらいしかないことに気がついてしまい。だから普段のお参りも、初詣でも、最近は保安宮の一択です。

我が家のある淡水から近いのと、観光地化している龍山寺よりも空いててほとんど地元の人しかいないので、のんびりゆっくり参拝できます。

ま、要するにただの神頼みなんですけど、神様は居留証のない外国人滞在者にも平等なのです。

5 台湾でウツは治るのかレポ

台湾に引っ越すことを決めたとき、期待していたことがひとつあった。

それは、

「台湾に引っ越したらウツが治るんではないか」

ということです。


私は日本にいたころから、定期的にウツっぽくなってました。

きっかけはあるときもないときもありますが、だいたい「ウツがあの角を曲がってこっちに向かってている！」というのが直感でわかるんです。季節はバラバラなんですが、そろそろ来てるな、と。

かすっただけで去っていくときもあれば、ごっそりもっていかれることもある。

とくにこの「ウツが接近している」時期に、仕事で何か失敗したり、人間関係のすれ違いがあったりすると、落ち込みがガツンとひどくなります。

私の症状は、

＊この世のすべてに対して1ミリも興味関心が持てない（なのですべてがどうでもよくなり、食事や生活が崩れていく）
＊脳が半透明の膜で包まれてしまった感じで、ぼーっとして人の話がよくわからなくなる（耳から入った言葉が脳に届かず、意味がほどけてバラバラになってしまう感じ）
＊現状認識が狂う（忙しくないのに無駄に焦る、可能性の低いことを延々と心配する、自分がいままでやってきたことがぜんぶ間違ってた気がする、など）
＊ひどいときは起き上がれない（食事と排せつだけは自分でできる。シャワーは無理）。

で、なぜウツが治るのを台湾移住に期待したかといえば、こんな話を聞いたからでした。

＊冬はウツになる人が増える
＊ウツで自殺する人は低体温
＊タイやハワイなど、南国に滞在しているあいだはウツの症状が出ないという人がいるらしい

これらの話を総合してみるに、人間って体が冷えているとウツになりやすいのでは？ だとすると、太陽がさんさんと降り注ぐ南国に移住なんかしちゃった日にゃあ、ウツにおさらば！ 毎日って最高だよね！ となるんじゃないか？

しかし。

台湾に引っ越してから、初めての年末。

ついにアイツがやってきたのです。

朝目が覚めたら、起き上がる気力がない。

前日の日帰り台中取材で、なんとなく外に出るのつらい、人に会うの怖い、そんな気がしていた。

帰りのＭＲＴで、北投駅で乗り換えがあり、電車を降りたらホームの階段までの距離が果てしなく遠く感じて、膝から崩れ落ちそうになったりした。

そんなわけで、そろそろ「ウツがあの角を曲がってこっちに向かっている」ような予感はしていたんだった。

不調は続き、眠いのか眠くないのかもうわからなくなって、結局朝方まで起きてて、昼ごろ起床という毎日に。

洗濯物が超たまってるような気がして焦ったけど、洗ってみるとそうでもない。

起き上がれるときにすかさず残っている仕事をして、あとの時間は地球と水平になり、ただひっそりと酸素を消費するだけ。という生活が2週間ほど続き、ようやくウツは去っていったのでした。

結論。

台湾に引っ越してもバッチリ定期的にウツになる。

あのときの私のなんと単純だったことよ。よく考えたら南国にだってウツの人はいるでしょうに。

いや、ウツの原因ってほんとうに人それぞれなので、「南国ではウツにならない」というタイプの人がいる、という話だと思うんですけれど。

しかし幸いなのは、日本でも台湾でも、ウツのときにやるべきことは同じでした。あくまで私の場合ですが、参考までに書いておきます。

まず、ウツが接近中のとき。

◉基本

＊規則正しい生活を心がける

＊部屋の換気や掃除をこまめにする

＊スマホの電源を切る

＊ニュースを見ない、聞かない
＊なるべく人に会わない
＊赤い服を着る（還暦のときに赤いちゃんちゃんこを着るのと同じで、赤色で生命力を補う的な効果を勝手に期待）
＊白砂糖やカフェインなど、体に負担が大きい食品を口にしない（白砂糖は血糖値が上がる、カフェインは目が覚めすぎる）
＊いつにもまして寝る（起きると勝手に時間が過ぎていてよい）
＊隙あらば太陽&紫外線をガンガン浴びる
＊約束を入れない。すでに入っているものは断る、もしくは延期を検討・相談（遊びの誘いや仕事の依頼など）
＊重要な決断をどんどん先送りにする（判断力が鈍っているため）
◉元気があれば
＊散歩やジョギング、筋トレなどをし、体を動かす
＊温泉に行く
＊動物性食品をちょっと食べてみる（私の経験では、食品↓肉、種類↓トリ、調理法↓揚げ、味付け↓辛く、の組み合わせが即効性があると感じます。つまりスパイシーなフライドチキ

ンがベスト。さっぱりした胸肉だと食べやすくてなおよし)。

このなかから、できるものをしばらくムリなく続けます。うまくいくと、ウツをかわせることがあります。

しかし、ウツにがっつりホールドされてしまったときには、できることは大きくいって、ひとつしかありません。

＊戦わない。

これです。

この間はひたすら静かに、何もせずに過ごします。

排除しようとすると過激化して自分がしんどいので、「ウツ来ちゃったね〜。いまは何にもやる気起きないけどしょうがないよね〜」とかいって、心の中で自分とウツをよしよしする。よしよししておくと、あまり暴れ回らずに去っていくことが多いように感じます。

ウツのしんどさには、その最中には毎回ぜんぜん慣れませんが、私が落ち着いて対応できるのは、必ず過ぎ去ると体験的に知っているからです。またどうせやってくるんですけどね。

私の場合は、だいたい1回の訪問につき、2週間〜1か月くらいでしょうか。

この期間が過ぎると、何がそんなにしんどかったのか、自分でも説明がつかないくらい元気になります。

もし会社勤めをしていたら、病院で診断書をもらってちょっと休まなければいけない感じかもしれません。職場によっては、休ませてもらえずに悪化してしまうかもしれない。**でも隠居なので、拘束が最小限で済む。すると、こうしてゆっくりと自分のペースで、落ち着いて対応できるんですよね。**

ウツのときって、ずっとウツなんじゃなくて、ときどき雲間に光がさすように、ふつうに起き上がることができる日もあるんです。そのときにすかさず家事や仕事を片づけたりもできる。そうすると、一人でもなんとか日常生活は回していける。

台湾に引っ越してもウツにはなってますが、天気が良くてごはんがおいしくて、こんなふうにゆっくりと治っていくのを待つことができ、「早く治って社会復帰しなければ」みたいな社会的なプレッシャーもない。これが台湾で隠居をするアドバンテージかなあと思います。

6 私はインスタント言語障がい者

強制的にマイノリティになるという体験

さて、台湾に3年間住んだいま、生活に必要な最低限の会話くらいなら、なんとかできるようになりました。

といっても、それは情報の伝達と受け取りができるようになった、というだけの話なんですよね。情報を交換するだけなら、たとえ話す言語が違っても、そう遠くない未来にAIが代わりにやってくれるようになるでしょう。

でも会話の役割って、情報交換だけじゃない。

それをもとに理解や共感や議論をしたり、あとは何かの目的のためにするんじゃない世間話のようなコミュニケーションだってある。

取材でいつも使う中国語のフレーズならば、そんなもん必要ないんです。でも急にアドリブ&早口で世間話をされると、即フリーズ。当方隠居につき、マニュアル以外の対応はできかねます……。

私は普段から人になるべく会わないので、このタイプのコミュニケーション能力が格段に低い&上達が遅い。

そんな微々たる人間とのふれあいのなかでも、発見はあるもので。

それは、どんなに大人の健常者でも、海外に行ったら、その土地の言葉がわからない限り、言語的なハンディキャップを背負うことになるんです。

「インスタント言語障がい者」の爆誕です。

日本にいたら、ただそれだけでいっぱしのオトナとみなされてたのが、海外では、あっという間に幼児以下というレベルになっちゃうわけですよ。だって台湾の幼児よりも中国語が話せないんだもん。

幼児なら、カタコトでも、なんだかよくわからんことを言ってても、人前でギャンギャンわめいても、かわいいから許される。でも健常者のアラサーのおっさんに、そんな振る舞いは許されない。他の方法で、なんとかやっていくしかないのです。

では他の方法とは何かというと、シンプルな話で、五感をフル稼働して相手の表情をよ～く見て、耳は声に集中させ、身振り手振りも交えて、使えるツールはぜんぶ使い、こち

第4章

らの言いたいことを伝えようとし、また相手の言ってることも必死にわかろうとすること。

あと忘れちゃいけない、笑顔もね！

言語が不得手なのにコミュニケーションがとれるというと、何か特別な能力のように感じられるかもしれませんが、ひとつひとつを分解していくと、こんな単純なことの組み合わせでしかない。

それでなんとなく、やりとりのようなものが発生したときの、お互いよかったね、言葉は通じなくても私たちはいま、たしかに何かをわかりあえたよね、という戦友感？

いや〜よかったよかった。

でも寝る前とかに思い出して、「はて、よく考えたらあの人は何て言ってたんだろう？」みたいな。

海外旅行をしたことがある人なら、誰にでもそんな経験はありますよね。

言語障がい者にとって、コミュニケーションは加点式
で、思ったのですが。

最近、日本語で、こんなに必死に何かをわかろうとしたこと、また、わかってもらおうとしたこと、あっただろうか。

日本語(言語)がわかる相手なら、価値観(話の内容)まで「わかって当たり前」から始まってなかったか。

「わかって当たり前」の何がしんどいって、コミュニケーションが減点法になることです。百点満点からスタートするから、1%話が通じないことがあるたびに、1%ずつ勝手にガッカリしていく。ほんとにお前は何様だっていう話なんですけど。

たとえば私は基本的に、やる気のある人とは、人生に対する意見がまったくかみ合いません。

以前、アメリカ×台湾のミックスの人と話したことがあるんですが、彼は日本で育ち、ルックスもアジア人なので、私は勝手に日本語同士の気安さを感じていました。

彼は徴兵で台湾に来たそうで、

「アメリカの国籍で入国すれば徴兵しなくていいんだけどね」

と言ってました。

なぜわざわざつらいほうを選ぶ? と思いましたが、彼はつらいことにぶつかって成長していくのを良しとする人で、中国語もできなかったけど10か月でマスターしたそうです。それはすごいと思うけど、私だったらその道は選ばないな〜。成長よりも、ワクワクして楽しいほうを優先しちゃうな〜。

あと、

「ある程度お金があれば贅沢しなくても幸せ、という人でほんとに幸せそうな人を見たことがない」

とも言っていて、世界は主観でできているのだなぁ、と思ったり。私に見えている世界もただの主観で、きっと大ハズレのことがあるんだろう。

この場合、言語はわかるけど、彼の価値観は30%くらいしかわからず。でもそれって、よく考えたら少なくとも30%はわかったってことじゃないですか。なのにものすごくわからなかったような感じがする。

それは私が、「日本語を話せる」というだけで価値観や思想まで通じるのでは、と一緒くたにして、はじめから期待してしまっていたからなんですよね。

ところが**「言語の不自由な外国人」というマイノリティ**の立場で暮らしていると、こういうガッカリのパターンが、あまりないように思う。たぶん、言語も価値観も、「わからない」ことが前提になってるから。お互いゼロからのスタート。

するとどうなるかというと、コミュニケーションが加点式なんです。１％わかるごとに、１％ずつ喜びがある。あまつさえ30％もわかった日にゃあ、手に手を取って狂喜乱舞ですよ。

同じ30％なのに、この違い……。

これって、私だけが大変なわけじゃなくて、私のおぼつかない中国語につきあってくれる相手も大変なんですよ。

でも、スタート地点が「わからない」からこそ、ぜんぶとは言わない、それこそ10％くらい理解し合えたかな、というくらいでも、なんだかものすご～くうれしい。もうお互い笑っちゃう、あっはっは～！　で、帰り道にふと、「はて、本当はあの人なんて言ってたのかな～」が始まるわけですが。

だって、10％なんて半分の半分も理解してないのに、そんな低いところのコミュニケーションでずいぶんわかりあえたという満足感があるんですよ。これ如何に!?

共同幻想は捨てたほうがラク

それで、何の話かっていうと、「○○(日本人、家族、男性、女性etc)ならわかるだろう」みたいなことって、思い込みだったんだな、と。属性や共同体に対して持ちやすい、ただの幻想みたいなもんが、私にもあった。

冷静になれば、そんな当たり前のこと！ と思いますが、どんなにマイノリティの部分がある人でも、日本国内では、日本人である時点で、「最強のマジョリティ」として自動的に君臨している、ってことになるんですよね。そこから出ない限り、「日本人同士」というところにくっついてくる共同幻想に自覚的でいるのって、かなり難しいんじゃないかと思う。

せっかく最強のマジョリティに君臨しているのに、なんでわざわざマイノリティ体験をしなくちゃいけないのかって思うかもしれません。

が、これを経験しておくと、誰のためでもなく、自分自身のためにいいんですよね。幻想を捨てることができると、自分がめちゃくちゃラクになれるんです。

他の人と違ってても、わかりあえないところがあっても、ガッカリしなくなる。だって、わかりあえないのがデフォルトだから。

こういうことって、中国語がペラペラになったら忘れてしまうかもしれない。あるいは日本に帰って日本語の環境に身を置いたら、やっぱりそのうち忘れちゃうんだろうな、と思う。

だからこの、「強制的にマイノリティ(言語が不自由な外国人)になる」っていうのは、日本国内にいる日本人にとっては、なかなかできない貴重な体験でした。

わかりあえるって当たり前じゃなくて、ほんとはすごいことなんだって、たまに読み返して思い出すために、ここに書いておく。

さて。

そんな強制的マイノリティ体験を経て、じゃあ前より人と会って中国語で話すようになったかといったら、日本語以上に疲れるから、やっぱり今日もひきこもっちゃうんですけどね。

でも台湾だから、ひきこもりでも大丈夫なんです。

第4章

7 ご近所づきあい

友人未満、他人以上

私は普段から、あまり人づきあいを好みません。一人で家にいるほうが楽しくて、時間が飛ぶように過ぎ去り、あっという間に35歳のおっさんになってました。家って龍宮城だったのかよ。

あまりにもずっと一人でいるもんだから、たまに自分という存在が透明になって、消えてなくなっていくような錯覚を起こします。

誰かに私を認めて声をかけてもらったりしないと、いま生きてるのか死んでるのか、判然としない。

誰ともしゃべらず日が暮れるので、口周りの筋肉や声帯が衰え、どれくらいの圧を喉にかければ「声」というものになるのかも忘れていきます。

人は易きに流れるもの。気合を入れ、約束を作り、人に会いに行かないと、いつまでも一人で家にいてしまう。

私はまだ世捨て人ではないので、数少ない社会生活（仕事など）に、支障が出ると困るのです。そのため、東京に住んでいたときは、がんばって最低でも週に一度は友人に会うというのを、修行のように自分に課していました。


そんな私が、フレンドリーで親日な台湾に引っ越して、社交的な陽キャに大変身！　となるわけがないんですよね。自分以外の誰かになんて、なってたまるかっつーの。

しかしただでさえ言語の壁に阻まれて、いや阻まれなくてもはじめからあきらめてるので、母国に輪をかけて友達ができにくい環境。しかも家で仕事をすることが多い。郊外なので日本人もあまり住んでいない。

ああ自分がどんどん人ならざるものになってゆく……。

かといって友人を作る努力もせず、移住したまま数か月が経過。


でも私、ちゃんと台湾で「人間」やってます！

というのは、どこの馬の骨だかわかんないような外国人の私でも、台湾にしばらく住んでいると、なにやら近所で「認識」され始めるんですね。

友人と呼ぶほどではないが、まったくの他人でもない。他人よりも、もうちょっと「こっち側」にいる感じの人が、どんどん増えてゆく。

するとあら不思議、外出すると誰かしら私を知ってる人と会い、一言二言だとしても、言葉を交わすようになっていたのです！


友人未満、他人以上。

そのグラデーションのなかで、たぶん一番濃いところに位置するのが、近所のAさんという台湾人の中年女性。

何度か目が合って、明らかにこのあたりに住んでる人だな〜と思っていました。あるとき、同じ並びのアパートに入っていくところに遭遇。初めてあいさつを交わしました。

それからというもの、出くわすとなぜかいつも食べ物をくれるように。

いつも同じ服しか着てないうえに体躯も貧相なので、フビンな外人と思われてるのだろうか。

食べ物のバリエーションは広く、未開封のスタバのバターロールクッキーのときもあれば、ほぼほぼ食べ終わったドライレーズンの缶詰をくれることも。なんでいつも食べ物を持ち歩いてるのか、そして持ち歩く食べ物の基準がよくわからないが、ありがたく受け取ることにしています。

だからといってとくに関係が発展することもなく、ゆる〜く食べ物をもらい続けること3年。

以来、私も日本に帰ったときはバラマキみやげにしやすい駄菓子とかをたくさん買って、カバンにしのばせておくんですが、そういうときに限ってAさんとは出会わないんですよね〜。いつか必ずお返しをしてやる！

Aさんと私はそういう関係です。きっとこれからも、深まることはないでしょう。

よく行く市場の果物屋のおじさんなんかも、「友人未満、他人以上」と認識させていただいてます。

私はいつもバナナ＋季節のフルーツの2種類を買うんですが、市場ではバナナひとつとっても、スーパーのように個包装してなくて、でっかい房ごと置いてある。値段も重量で変わる。だからお店の人に話しかけ、切ってもらわなくちゃいけない。

あとは「今日はどれがおすすめですか？」「これはいますぐ食べられますか？」とか、簡単な会話しかしないんだけど、あるときおじさんに「中国語、進歩したね〜」と言われて、あ〜常連の外国人だって覚えててくれたのか、と隠居感激。たしかに、はじめは英語で「バナナを4本」とか言ってたのが、中国語で言えるようになったんだもんな〜（**↑それまでがまた牛歩の如しなんだけど……**）。

それからうちの近所には、車いすに乗っている、身体に障がいのある方が住んでるんですが、家に上がるところにスロープがあって、よくその前でキョロキョロしています。もちろん「手伝いましょうか？」と確認して、車いすを押してあげます。荷物も、頼まれればドアの中まで運ぶよ。

視覚障がいの方も一人、近所に住んでますね。たまにバスで乗り合わせるので、MRT駅の入口まで腕を貸してあげたりします。

いやいやわかりますよ、いまこれを読みながら、「なんだそんなことかよ」って思ったでしょう。だけど「そんなこと」程度のことに、私は東京に暮らした7年間、ほとんど出会えなかったんです。とくに近所では。

基本的に人々は「友人家族以外は全員他人。関わってはいけません」という感じだったので、誰かに私を「認識」してほしければ、友人と会うくらいしかなかった。

台湾で、つながりを探し求めてがんばった覚えはない。私が特別話しかけたくなる明るい人柄ってわけでもない。さらに、私と「友人未満、他人以上」になったからって、彼らに何かの得があるわけでもない。おまけに外国人なんて、障がい者や高齢者と並んで、社会で孤立しやすい人たちＴＯＰ３じゃないですか。

にもかかわらず！

気づけばなんとなくゆるいつながりができている。だから中国語ができなくて情弱な外国人の私でも、なんとか地域でちゃんと「認識」されてるのです。「認識」されてなくても、一人で「存在」してるだけなら、たぶん私はできると思うんですけどね。

見かけると、「あ、あの人だ」と思ってもらえる。見かけないと、「最近あの人、どうしてるかな～」と思ってもらえる(たぶん)。そんな人たちが近所にたくさんいる。たかがそんなこと、されどそんなこと。**そんなことが私の海外での隠居生活をほんの少しだけ豊かにし、それに間違いなく支えられ、そして私が人間じゃなくなっていくことを、食い止めてくれていると思うのです。**

そのような隠居の胸のうちを彼らはきっと知らない。それをわざわざ伝えることはたぶんないと思う。だからこれからも、私から声をかける。私から手を貸す。ただそれだけのことなんだけど、彼らが私を「認識」してくれたように、私もまた彼らを「認識」したい。そのことが、お互いの日常生活を少しだけ豊かにすることを願って。

というわけで、私はこの程度のうっすい人間関係で満足してしまい、ますます友達を作る努力をしなくなり、半径５００ｍの生活圏から出ることもなくなっていくのであった。良いのか悪いのか……。

孤独死

台湾の隣人と、おつきあいと呼べるようなものって、そういえばほとんどない。

お隣さんとの最近の思い出といえば、向かいの部屋に住んでる大学生が、夜半過ぎに数人で爆笑しながら大音量でゲームに興じているのがうるさいので、ドアをバンバン叩いて「静かにしろ！　何時だと思ってんだ！」と英語で怒鳴ったことです（**おつきあいですらない**）。

思えば引っ越した当初、アパート探しを手伝ってくれたKさんに「引っ越しのごあいさつに行ったほうがよいか」と聞いた。すると、「しなくてよい。台湾にはそういう習慣はない」とのことだったので、放っておいたのでした。

そうはいっても、はじめの半年くらいは、隣に親切な中国人男子留学生が住んでいて、アパートが停電や断水などするたびにノックして、「いまどうなってる?」と状況を教えてもらったりしていたものでした。彼が引っ越してからは、まったく隣人との関りはなくなった。

学生街なので、隣人は私以外みんな大学生。ほんの20歳くらいです。若いのです。忙しいのです。隣に住んでる素性の知れない外人とわざわざ交流しなくたって、外の世界は広い。軽やかに飛び出し、いろんなことに手を出して、つきあう人を取捨選択するという自由も、時間も、そして体力も、有り余ってるのです。

若い大学生の隣人を見るにつけ、私は最近、独居老人の孤独というものの、しっぽの先くらいに、もう少しで触れられるような気がする。

このまま年をとって、遠くに行く気力もなくなり、出せる手も減り、取捨選択どころか

第4章

「残ったものを大事にする」ことしかできなくなるのかもしれない、と。

若い住人の楽器の音がうるさいと、怒鳴る年老いた大家がよくいますよね。もとい、ゲームの音がうるさいと怒鳴るめんどくさい外人のおっさんが隣に住んでるとしますよね。「キレやすい高齢者かよ。これだから年寄りはイヤだぜ」とか、若いみなさんは思いますよね。

あれってなんでかと想像するに、年寄りは、いや私は、隣人がうるさくしても、家以外に居場所がないんですよ。若けりゃ、深夜に向かいの部屋の人が大騒ぎしてても、とりあえず友達の家か、さもなくば24時間営業のゲームセンターやネットカフェに避難すりゃあいいですよね。

ところが年をとると、っていうかまだ35歳ですけど、とりあえずも何もわざわざ、深夜に出かけるなんて骨の折れることはしたくない。だいたい、近所に友達住んでないし。

自力で遠くへ行けなくなるときが、誰のもとにも、いつか必ずやってくる。

そこでだ。

隣人とはおつきあいがないけれど、自分の生活圏半径５００m以内で、前述のような

「友達未満、他人以上」の人間関係が、遠出しなくても近所にたくさんできたら、それだけでどんなにか、孤独や不安がやわらぐことだろう。

「友達以外はすぐ他人」じゃなくて、なんとな～く知ってる人が、近所にそこそこ点在していて、今日の調子とか、天気とか、そろそろ季節のフルーツが出始めたとか、あと最近隣人の大学生がうるさくてさ～、とかそんな他愛もない会話が、日常的にできたなら。

私は「孤独死」という言葉で、実際のところは何も知らないのに勝手に「かわいそうな人生だった」と決めつけるのは本人に失礼だと思います。

でも、東京でこうしたご近所のつながりって、自然には発生しにくいですよね。うすくてもいいから、誰かに自分を「認識」してもらえる関係が、そういう場所がたくさんあったなら、日本の高齢者の「孤独」はもっと違う語られ方をするのではないか、と思ったのでした。

で、何の話かっていうと、いまのうちに年寄りには親切にしておこう。そして自分も親切にしてもらえる年寄りになれるように努力しなければ、と思ったことです。でも深夜にゲームで騒ぐのはやめろ！（↑直ってない）

台湾隠居生活、老後どーする？

このまま老後も台湾で隠居してたらどうなるだろうか、とか考えることもあります。

２０２０年時点での台湾の「高齢者実体調査」によると、台湾では10人に１人が65歳以上の高齢者。２０２５年には高齢者人口が総人口の20％を超える、超高齢社会に突入すると言われています（日本はすでに高齢者人口の割合は28・１％）。

台湾で孤独死がニュースになるときというのは、台湾国内での事例はまだまだ少なく、主にひと足先に超高齢化社会を迎えた日本の現状を伝えるものが多いです。「台湾にももうすぐこういう時代がやってくる。我々はどう立ち向かうか」という記事もよく見かけます。

でも、台湾の年寄りってめっちゃ元気ですよ。

前述しましたが、うちの近所の道端で、市のゴミ収集車に行くべきリサイクルゴミを、その手前で回収して換金してるおじいちゃん。

自分んちの畑で作った野菜を、道端で勝手に広げて売ってるおばあちゃん。

そして大切なポイントが、「許可をもらってるのか」とか言って正義にみせかけた意地悪をする人がいないってことです。

そんな風景を当たり前のように毎日目にしていると、私も体が元気な限りは道端で何かすればいいや、という気分になってくる。

東京だったらそんな発想にもならないんだけど、台湾だと、なんかそんなんでも人間、生きていけるような気がしてきちゃうのが摩訶不思議。

本当は、元手がなくてもできることってたくさんあるんだし、**いくつになっても何かをするのに誰かの許可なんか求めなくてもいいんだよな〜と、たくましい年寄りが思い出させてくれる国、それが台湾。**

私が高齢者になったときも、若い人たちに「ああ、人間って何とでも生きていけるんだなあ」と思ってもらえたら、長く生きるのもけっこう悪くないかもしれない。

8 マイノリティと台湾の生きやすさ

生きやすさにもいろいろあるけれど、台湾の場合、まず生きていくうえでの指標がたくさんあるのではないかなあ、と思う。

たとえば「お金」はひとつの指標として、とてもわかりやすいものですよね。

もしもあなたがお店のオーナーで、経営がうまくいって繁盛したら、さらに利益を追求するため、営業時間や店舗を増やそうと考えるかもしれません。そういうお店ももちろんありますが、台湾には、そうじゃないお店もたくさんあるんです。

超行列のお店や屋台でも、本店営業のみ。その日の分を売り切ったら、閉店時間前でも早々に店じまい、みたいなところはザラ。支店を増やしたり、長く開ければ、絶対にお客さんが来るのは確実なのに、それはしない。

「お金」だけが基準であるなら、こういう風景はありえないと思う。

一日の仕事を終えたら、あとは家族や自分、友人との時間を大切にする。台湾人にとっては、そういうのもまたひとつの大切な形なんですよね。

「お金」だけが人生の基準じゃないとき、他にいくらでも生きていきようがある。すると、社会に隙間というか余白というか、余裕が生まれます。

電車内で年寄りや妊婦さんや、杖をついた人がいれば誰かが必ず席をゆずるし、道で人が転んだり事故ったりしたら、周りの人がわらわらと手を貸しに集まってくる。

夜市の屋台では、若い女性が一人で店を出し、小銭の入ってる箱を店先に並べて「お代は自分で入れてって〜」なんてこともありました。台北市内で、ですよ！　盗まれたらどうするんですか！

でもやっぱり大丈夫なんです。台湾では、誰かが必ず助けてくれる。

「オレは金儲けに忙しいから、他人が困ってても知らん」みたいなことを、台湾に3年間住んでて、一度も見たことがない。台湾はそういう豊かさを目指している社会なんだな、というのが、街の風景から感じられます。

豊かさにいい悪いはないけれど、自分がどんな豊かさを目指す社会に生きていたいか、という希望はあります。そしてその豊かさのために、自分には何ができるかを考え続けることで、隠居ではありますが、私もその社会の一員として、認めてもらえるスタート地点に立てる、という気がする。

あと物質的なことでいうと、インフラが整っていて生きやすい。

飲料水、公共Wi-Fi、そして公共の場に必ずある、スマホの充電スポット。これらぜんぶ、無料で誰でも使えるんです。まあWi-Fiに関しては、たまに接続が悪かったりもするわけですが、使えないことはない、という感じ。

それから街なかに座れる場所がすごく多いですね。多すぎて、座る尻が足りん。

これはほんの一例ですけど、つまりお金を使わなくても、誰でも居ていい場所がたくさんあり、そしてなんとかやっていける。

無料で誰でも使えるインフラが整っているということは、自分の経済力でインフラを整えられない社会的弱者にもやさしいってことなんですよね。

最悪、このまま下流老人になっても、路上生活者になっても、台湾でなら生きていけるかもしれない。

でも私がそう思うのは、たぶん、無料の水やWi-Fiや、スマホの充電スポットだけの話ではないんじゃないか、という気がする。

台湾社会には、「どんな人も、居ていい存在である」という共通認識のような気分があるんです。

排除されないこと。これって人間的インフラともいえるんじゃないかな。

知ってる人も多いと思いますけど、先に紹介したデジタル担当大臣のオードリー・タンさんって、元は男性として生まれたんですが、現在は性別を超えたトランスジェンダーとして生きています。

トランスジェンダーって、まだまだ圧倒的少数だと思うけど、それが台湾で生きていくうえでまったく社会的ハンディキャップになってない。それはタンさんが若き天才だから特別なわけではなく、天才もアホも金持ちも低所得者も同じように、はぐれ者にされることがないんです。

かくいう私も性的マイノリティというか、ＬＧＢＴＱのジェンダー分類でいうと「Ｇ＝ゲイ」に当たるんですが、台湾に住んでてそれで困ったことは一度もない……どころか、台湾でわざわざ「ゲイ」って表明する必要がない。表明したところで「あー、そうなんですね」で終了。だって存在してて当然だから。

ひきこもりがちな隠居でも没問題《メイウエンティ》、言語の障壁があっても没問題、あまつさえゲイでも没問題……なんてラクなんだ！

私は、**ＬＧＢＴＱという呼び分けがアジアで最初に消滅するのは台湾じゃないかな、**と思っています。

それに、よく考えたら言語のハンディキャップがなくても、日本に住んでても私は隠居っていうだけでマイノリティともいえるし、いまは健常者でも誰だっていつ事故や病気で中途障がいになるかわからないんですよね。

やっぱり誰もが潜在的にはマイノリティで、それは特別なことじゃないんだと思う。

だからマジョリティに属していても、マイノリティを差別しないことは巡りめぐって自分に返ってくることなのであるなあ。

人間がまだちゃんと人間であるということ

「台湾のいちばんの名物は台湾人である」と先に書きましたが、ためしに私が観光旅行で初めて台湾を訪れたときのことを思い出してみると、やっぱり、思い出すのはグルメよりも観光地よりも市井の台湾人。

宿泊していたホテルから寧夏《ニンシア》夜市に行くまでの道すがら、バイクに乗った犬を写真に撮ろうとしたら、そんな私に気がついて、撮影しやすいようにわざわざ近くまで来てバイクを一時停止してくれたやさしいおばちゃん。

萬華でサンダルを買おうとしたとき、「父親が日本語世代だったから」といって日本語で話しかけてきて、私が希望するサイズや色を、お店に通訳してくれた人のいいおじさん。淡水駅のロッカーの前で使用説明書とにらめっこしていたら、5分くらいかけて慣れない英語で丁寧に手とり足とり使い方を教えてくれた親切な青年。

そんなことばっかり覚えてる。


ふつう、外国人が観光地で親切にされるいちばんの理由って、手っ取り早くお金を落としてくれる存在だから、だと思うんです。でも私が覚えている人たちは、お店の人じゃなくて、ただの通りすがりの台湾人。私に親切にしたところで、何の得にもならないはずなんです。

「あの人、困ってるのかな?」とか、「台湾に来たら、楽しい時間を過ごしてほしい」とか、思うよりも先に体が動くような自然さで。**なんだかものすごくいい風が吹き抜けたみたいな後味を残して去ってゆく。**

昨今の日本で、あんな光景にはなかなか出会えない。

もちろん経済のこともあるけど、経済以前に、人間がまだちゃんと人間、という感じがする。

自慢じゃないが、私は昔から、街で話しかけられることはほとんどないんです。友人によると、私は「話しかけるなオーラ」をまき散らしながら不機嫌そうに歩いているらしい。

そんな私でも、台湾の観光地で困ってると必ず誰かが助けてくれる。

ただの外国人観光客であった私にすらそうなんだから、台湾で生活し始めてから街で見かけた人たちにとっても、きっと生きやすいのだろうというのは想像に難くない。

外国人である（**しかも隠居で低所得で腰痛持ちでウツっぽい**）私も、台北駅の路上生活者も、『BIG ISSUE』のおじさんも、車いすの花売りおばさんも。

私は結局のところ、日本だったら完全無視される路傍の人々が、台湾ではフツーにイキイキ生きているようすに惹かれていたんじゃないかという気がする。大げさに言うとヒューマニティみたいなもんを、私は道端で毎日目撃していたんだと思う。

9 日に日にアホになっていく

そんなわけで、台湾に移住しても基本的に私という人間が変わることはなく、部屋にひきこもって外に出ないという最高な毎日です。いったい台湾に何しに来たんだか。日本語も中国語も話さない時間が長いので、自分がいまどこにいるのかもよくわからなくなってくる、という体たらく。私は日に日にアホになっていってるに違いありません。

いや、台湾に住んだって、気候は命の危険を感じるほど暑いし、相変わらず定期的にウツにはなるし、語学が不十分なうえに人間が得意じゃないのでミスコミュニケーションもある。生きていくうえできついことはなくならないんですよ。だけど、**それでも日本に住んでいたときより、よっぽどラクに生かしてもらってる。**

何がそんなに違うんだろう、とずっと考え続けている。

いまも夕暮れどきになると、淡水河沿いの遊歩道をよく散歩します。淡水駅から川沿いを下るのが定番コース。

老街にある廟はいつも変わらないけど、私が移住してきた3年前と比べて、ご当地B級グルメ阿給《アーゲイ》（春雨の入った油揚げの料理）のお店は値段が全メニュー5元ずつ上がった。遊歩道はきれいに整備されて、歩きやすくなった。上手にギターを弾き語りする美声のストリートミュージシャンも、以前にも増してよく見かける。

で、あの盲目の少女もまだ現役で歌っていて、しかもまったく上達していない。テケテケしたチープな電子音のカラオケに、手首をカクカク上下に揺らす独特のスタイルも同じ。相変わらずじっくり聴き入るほどのもんでもない。でも注意して見ていると、まるであの子が存在しないかのようにふるまう人も、無許可だからって排除しようとする人もいない。

私もこのあたりに住んでいるから、たまにあの子がいなかったりすると、どうしてるかなぁとか思うようになった。

「今日もヘッタクソだな～」とか思いつつ、タイミングよく曲が終わったら、しかたないから拍手でもしてやるか、なんて心づもりをしておくところまで、いまや私の散歩のルーティーンに含まれている。

ちょっと立ち止まって下手くそな歌を聴いていたら、横から「カバンが開いてるよ」と若い台湾人男子に声をかけられて、お礼を言う。

台湾ではこんなとき、私がどれだけ外人だろうがおっさんだろうが、誰かが必ず声をかけてくれるんですよね。バックパックのジッパーを閉めながら、彼が駅のほうに歩いていくのを見送るともなく見送る。

川沿いの遊歩道は学生たち、家族連れ、外国人観光客、車いすの宝くじ売り、異性同士／同性同士で手をつないでいるカップル、犬や猫でにぎわっていて、フツーに同じ道の上を歩いている。

あの盲目の女の子に向けられるのと同じ温度のまなざしが、外国人として台湾に暮らす私も含めたみんなに注がれていて、それがこの生きやすさを支えているのかもしれないなあ、と思う。

私の台湾、あなたの台湾

ここまで私の小さな、そしてごく個人的な移住体験を記してきたわけですが、仕事もコネも友人もないところから始めて、台湾での隠居生活を3年間続けることができたというのは、ひとつの成功とカウントしてよいかな、と思っています。

しかし3年以上台湾で暮らしているわりには、とくに何か大きなことを達成したわけでもないし、私の台湾に関する知識や情報はかなり少なく、しかも偏っていると言わざるを得ません。台湾に遊びに来た私の友人のほうが、台湾に詳しかったりすることもしばしば……。

これを「台湾ガイド本」としてどこかに紹介されたら困るどうしよう!(いやないか、笑)

まあ、取材仕事のリサーチではもちろんインターネットをフル活用して必要な情報を収集しまくりますが、それはまた別の話。

というか、ネットを活用しようにも簡単な中国語しかできないし、台北郊外の住宅街についての情報(in日本語)なんてそもそもない。だから日常生活では、たまに補助的に使う程度、というのが正確なところでしょうか。

実際、いまでも知らない店・行ったことのない場所が近所にたくさんある。「こんなところに農協のスーパーがあったのか!」とか、「こんなところにGoogleマップに載ってない近道があったのか!」なんていうこともしばしば。それが楽しいんですけどね。

そんなふうに、日常生活における私の、たいへん少なく偏った情報のほとんどは、私が自分の足で近所を歩き、探して、出会ったものです。

21世紀だし、見つけようと思えばネット上でもいくらでも見つかるのかもしれないけど、「実際に体験する」という最後のひと押しを加えたときに初めて、他との比較が無効化された、私だけの大切な情報になる感じがしている。

思いつきで引っ越してから3年。ハッキリ言って、誰もが憧れるような海外移住というわけではない。けれど、地道な実体験の積み重ねが私の台湾での隠居生活を作り上げていることを思うと、これでけっこう、震えるような喜びと満足感があります。

ほんとうに毎日、掛け値なしで地味〜な生活だけど、そうした満足感に支えられているということは、ありがたいことです。

だから、私には足が2本ついているのだし、この足で行ける範囲で日常生活を作り上げること。いままでもそうしてきたし、これからもそれを大切にしたい。台湾に住んでいるからって変えるつもりはありません。

そういえば東京多摩地区に住んでいたときも同じだったなあ。23区内に住んでいる友人のほうが、うちの近所のカフェやイベントに詳しかったりして(↑情報源はネット)。

いっぽう、住んでいる街について私が知っているのは、近所のどこに食べられる野草が生えているとか、いまの季節ならあそこんちの庭の花がきれいとか、あの公園の井戸の水は飲めるとか。自分の足で見つけた情報で、私の街はできていた。やっぱりどこに住んでも変わらないですね。

そしてこれを読んで、「自分も台湾に移住したい！」と思った方がいらっしゃいましたら、ぜひぜひ、あなた自身の足で歩き、目や耳や口を通して、誰かの台湾ではない、あなただけの台湾に出会ってください。

私の台湾は、素食のえのきの天ぷらの味。
冬のあいだじゅう、漂うキンモクセイの香り。
ガジュマルの樹の下で、バスを待つときに吹きぬける風。

あなたの台湾は、どうですか？

大原扁理 おおはら・へんり
1985年愛知県生まれ。25歳から東京で隠居生活を始める（内容は『20代で隠居 週休5日の快適生活』などで紹介）。31歳で台湾に移住。『年収90万円で東京ハッピーライフ』（太田出版）、『なるべく働きたくない人のためのお金の話』（百万年書房）の著書がある。

カバー写真｜Shin@K / PIXTA
ブックデザイン｜山田 尚志
写真｜大原 扁理（P.10, 14, 54, 124）
Jasmin Wang / PIXTA（P.2, 188）
mitchii / PIXTA（P.252）

いま、台湾で隠居してます

ゆるゆるマイノリティライフ

2020年12月15日　初版第1刷発行

著　者　大原扁理
発行者　河村季里
発行所　株式会社 K&Bパブリッシャーズ
〒101-0054　東京都千代田区神田錦町2-7 戸田ビル3F
電話 03-3294-2771　FAX 03-3294-2772
E-Mail info@kb-p.co.jp
URL http://www.kb-p.co.jp

印刷・製本　中央精版印刷 株式会社

落丁・乱丁本は送料負担でお取り替えいたします。

ISBN978-4-902800-67-8

K&B PUBLISHERS